Ⓢ新潮新書

中川淳一郎
NAKAGAWA Junichiro

恥ずかしい人たち

871

新潮社

恥ずかしい人たち◆目次

はじめに——恥ずかしい日本の私　9

第1章　誰がこんな「多様性」を望んだか　28

第2章 権力と胡散臭さは紙一重 60

第3章 つくづくメディアはマゾ気質 81

イラスト　まんきつ

はじめに――恥ずかしい日本の私

恥の多い人生でした

振り返ると、恥ずかしいことばかりを思い出してしまう。いや、「振り返る」といった人生の棚卸的なことを考える以前に、ある場所を通りかかるなど、ふとしたきっかけで毎度恥ずかしいことが頭をよぎってしまう。やめてくれよ。なんで素晴らしい記憶よりも恥ずかしいことばかり思い出してしまうんだ。

26歳、博報堂勤務時代の罰ゲームでウルフルズの『ガッツだぜ!!』に合わせて踊らされた屈辱のヘタクソダンス。ウルフルズは悪くない。ただ、私が猛烈にダンスのセンスがなく、罰ゲームだったというのに、罰ゲームを課した側が「早く終わってくれないかなぁ……なんだか申し訳なくなってしまった……せめて一番だけにしておけば……」と思っているであろうことを感じた瞬間があった。

42歳、酔っ払った勢いで義憤から書いてしまったあのツイート。29歳、相手にウケているると思ってやっていた一発屋芸人のギャグのパクリ。25歳、カッコつけてプレゼンで発した英語の発音。21歳、好きな女性に対してアプローチした時の寒々しい演出……。17歳、ジーンズの裾部分をかかとのところでキュッと締め、上にくるくると巻く穿き方。そもそも14歳、うんこをもらしながらも授業に出続け、教室中に悪臭をまき散らかしたこと。33年前のことであろうとも、何かのきっかけであの恥ずかしい光景が蘇ってきて「やめてくれ〜!」と言いたくなる。

いや、うんこ事件については、あの頃の中学生には「学校のトイレでうんこをするのは恥ずかしいこと」という価値観があり、さらに私は「トイレでうんこするならズボンの中にしちゃえ」というとんでもない思いつきに襲われたのだと思う。また、学校にはよほどでない限り早退はできないルールもあったのだろう。今考えれば、うんこが付いたズボンはさっさと洗う必要があるわけで、すぐさま水道で洗い、その後は体育着やジャージで過ごす、という選択肢があったはずだ。だが、「授業中は制服を着ていなくてはならない」という校則により、〝下半身うんこまみれ少年〟はクラスメイト全員に苦悶の一日を過ごさせる結果となったのである。

だから立川市立立川第六中学校で思い出すことのトップは、決して1年生秋の「合唱コンクール」で2位になったことや、憧れのあの子が隣の立川第二中学校から転校してきたあの日ではないし、2年生の林間学校のキャンプファイヤーでもない。あくまでも、自分がうんこをもらしたあの日のクラスメイトの困惑した表情である。

こうした経験を、47歳までし続けてきた。

去年経験した「恥」

ありとあらゆる「恥」と共に生きてきた。その時々を思い返すと、鮮明に蘇るのは結局、恥ずかしい瞬間ばかりである。

なんて理不尽なんだ。結局「恥」の方が自分の人生においては思い出になってるじゃないか！　当然、去年経験した恥ずかしさもすぐ思い出すことができる。

自分への仕事の発注が少ないからと、酔っ払った勢いで広告会社の若手に「もっとオレに仕事出して下さいよ！　頼むから！」とわめいてしまった四谷の夜。翌日、この光景を思い出し、彼に謝罪した。黙っておくか、もっと冷静にお願いすりゃいいのに……。

この「恥」というやつをいかに除去するかといえば、人間関係を極力浅くし、誰かの前で何かを披露したり欲望を吐き出したりする機会を減らすしかない。

自分ひとりで歩道を歩いている時に屁をこいてしまったとしても、まったく恥ずかしくない。だが、後ろに美女がいた場合は恥ずかしくてたまらなくなり、人生の「恥リスト」に入ってくる。だが、泥酔したオッサンが後ろにいた場合は「酔っ払いジジイ、屁でもくらえ、ボケ」なんて気持ちになり、あまり恥ずかしくはない。恥の概念というものは、その場にいる人々との関係性において生まれるものである。

その意味においては、私は若者が圧倒的多数を占めるウェブメディア・広告業界で働き続けることが恥ずかしくなってしまった。だから2020年8月31日をもってセミリタイアをすることにした。

「修羅の国」で働くということ

唐突過ぎる論理の飛躍なので、もう少し真意を説明しよう。このセミリタイアは2014年頃から公言していた。「人生100年時代」「75歳まで働く社会を」「シニアの活力」といった言葉が躍る昨今だが、結局は「年金払いたくないからお前ら一生働いてくれない？　できればさっさと死んで欲しいけど」が政府の本音であることはなんとなく理解できる。

かつての日本には年長者を敬う文化があった。だが、昨今の少子高齢化があり、高齢者という存在は、若者が必死に働いた給料からピンハネされた社会保険料と税金をむしり取る仇敵扱いに。コロナ禍の初期の頃も「アクティブジジイ・ババア」の感染が目立ったため「ジジババは外に出るな!」なんてネットの書き込みが目立った。40代、50代といった職場の年長者も、ビジネスの世界において既得権益と前例主義、年功序列制度によりおいしい思いをしながら若者を押さえつける「老害」といった扱いになっている。

2006年に、32歳でネットニュースの編集者になってから15年近く経つ。当時は一緒に働く人々の80%は自分よりも年下だったが、今は93%が年下だ。

今、一緒に仕事をしている若者たちは私に対して非常に丁寧に接してくれているし、「競合プレゼンに参加してください!」「定例会議に参加して〝ご意見番〟的に意見を言ってください!」なんて言ってくる。

だが、実のところ彼らの方が私よりも優れているのである。いや、多分、この原稿を書いている今の段階では多分私の方が優れているであろう。その程度の自信はある。

しかし、これがあと3年続くとは思えないのだ。現在の瞬発力とツテの多さがもたらす営業力を私自身は自分の手中に収めている。だからこそ、ネットを研究し尽くし、発信しまくってきた身としては、「あの人『終わった人』だな……」と言われる前に逃げた方がカッコイイと思うのだ。単なる美学の問題ではあるのだが、厳しい現実もある。

ネットニュースを含めたウェブメディアの世界は、「修羅の国」である。毎日のようにPV（ページビュー＝アクセス数）を強力なライバルと競い合う。しかも、ウェブサイトを開設するのは誰でもできるため、日々ライバルが増え続ける。免許も巨大な設備投資も必要なく、いくらでも参入できるのである。

次々とスターと呼ばれるようなライターや編集者が登場する。さらには、アクセス数の生殺与奪を握る世界最大の検索エンジン・グーグルによるアルゴリズム変更により、昨日まではアクセスの多かったサイトが突然没落することもある。このアルゴリズム変更については「ちょっとちょっと！　グーグルさん、突然変えないでよぉぉ～！　オレら、あなたの基準に合わせて色々頑張ってきたのに～」と言いたくなる。

だが、グーグルはあくまでも検索エンジンなわけで、我々のような個々のメディアの都合など知ったことではない。彼らは「我々のアルゴリズム変更は世界をより良くする」といった理念を持っていると理解している。

結局新しくなったアルゴリズムに従う形でコンテンツの内容や、デザインなども変える必要がある。最適解は一切存在せず、「成功するかも」を試し続ける日々を私はこの約15年間続けてきた。これがキツくてたまらないのだ。

つまり、あまりにも「ライバルが強すぎる」「環境が変わり過ぎる」に加え、「『これをやり続ければ成功する』という成功法則」がまったく通用しない世界なのである。正直、自分としても49歳か50歳まではなんとかなるとは思う。だが、その頃になると「中川さん、ちょっと衰えたね……」なんて言われることもあるだろうと思う。そのため、そうした時が来る2～3年前に自らセミリタイア宣言をした方が「恥」ではないのだ。

もしこのまま3年が経過した後、50歳の自分が優秀な28歳の若者にネチネチとエラソーに「成功セオリー」をレクチャーし、「古臭いんだよ……」と嘆かれている姿を想像した。その若者からすれば完全に「ジジイの茶飲み話」としか思えないだろう。

そうした「終わった人」にならず、今後の30年以上はあると思われる人生で「うんこもらし事件」的なものをこれ以上増やさないために、この世界から退出することを決意したのである。正直、自分が今いるウェブメディア・広告の業界は若者が活躍すべき場所だと認識している。

セミリタイア宣言の真意は、「これ以上恥をかきたくない」ということが本当に大きな割合を占めている。別に有名になりたいわけでもなければ、チヤホヤされたくもないし、女性にモテたいわけでもない。いずれも羨ましいとは思うものの、これらが揃ってしまうと結局は「忙しい」「不倫の修羅場」「衝突」といった言葉がセットになる。

もう、散々競争をしてきたし、艶のある経験もしてきた。もうこれ以上を求めるのは身の破滅に繋がるのだ。人間関係を深めれば深めるほど、自分が不幸になってくるのである。その撤退のタイミングが今、ということである。

2006年からの約15年間、ネットニュースの宿命として「毎日更新する」ということから年間休日1日のみの生活を続けてきた。仮に土日祝日が必ず休めて有休もすべて取れる勤め人であれば、年間の労働日数は240日ほどとなる。と考えると、私のこの期間は真っ当な勤め人からすれば21～22年分に相当する。だとすれば54～55歳に相当するわけで、「ちょっと早い退職」的なものだと自分では納得しようとしている。

「終わった人」になる前に

舘ひろし主演で映画化もされた内館牧子氏の『終わった人』(講談社文庫)は、63歳でメガバンクの子会社を退職した男の悲哀を描いた小説だ。この主人公の境地を40代以降は常に感じていた。彼は東大法学部卒で49歳のとき、メガバンク本体から子会社であるシステム会社に総務部長として出向した。51歳でその子会社への「転籍」を告げられた時点でもう本体での出世の道が断たれたことを感じたであろう。自分のサラリーマン人生が終わりに近付き、「名誉職」のような立場であることは理解していたはずだ。同書の記述を引用する。

まずは転籍の時の話だ。


〈「俺は終わった」という諦念というか、静かな衝撃に襲われていた。

もはや、メガバンクの中枢に戻れる目はゼロになり、社員三十人の雑居ビルの子会社で終わるのだ。

ああ、俺は「終わった人」なのだと、またも頭の中が冷たくなった。

できることなら、辞表を叩きつけたかったが、転籍を受け入れた〉

彼は63歳で子会社の専務としての仕事を終え退職することになる。12年間もの長きにわたり、「終わった人」としての人生を受け入れたのだ。そして、同作ではこう続く。

〈激しく熱く面白く仕事をしてきた者ほど、この脱力感と虚無感は深い。もはやサラリーマンとしては先に何もない。せいぜい、子会社の社長になるか専務になるかというところだ。これが六十五歳ならいいが、五十一歳で「終わった人」なのだ〉

それなりに世間からはエリート扱いされ、待遇が良かったはずのメガバンクの男が51歳でこうしたことを思うわけで、ましてやフリーの私など、さっさと「終わった人」にならなくてはいけない。47歳でも遅すぎるぐらいである。むしろ、「ここまで居座り続けて申し訳ありません！」と言いたくなるほどだ。

日本は今後大丈夫なのか

こんな自分自身についての「恥ずかしさ」への不安も年齢と共に増していたのだが、同時に今後の日本への不安もまた増していく一方である。なんだか恥ずかしい大人が増えていないか。

まず真っ先に頭に浮かぶのは政治家である。

２０１１年、東日本大震災の頃もまだ日本は大丈夫だと思っていたが、２０１０年代後半から途端にそう言い切れなくなってきた。大きな理由が政治家のダメさ加減だ。

元々私は超個人主義だったし、今もそうである。自分の身は自分で守る、選挙なんて行っても仕方がないし、どの党が政権を取ろうが関係なく、あとは自分が根性出して頑張るしかない、といった感覚を就職活動の頃からずっと抱いていた。実際、選挙に行ったことは、参政権を得た直後の「何か」の選挙だったとしか覚えていない。以後、一度も選挙には行っていないし、今後、どこか田舎に移住し、「○○さんに入れてくださいい！」と地元民に言われた場合は行くが、それ以外は行く気がない。正直、政治にはまったく期待していないのだ。

結局「汚職」や「賄賂」が多いのは政治家だし、「議員特権」があったりもするわけで、そんな連中が国や各自治体の行く末を握っているのは腹が立って仕方がない。

逮捕された河井克行・前法相と妻の案里は、案里の参院選勝利のためと現ナマを配りまくった。「まぁまぁこれでひとつよろしく」「わかってますってウヒヒ」みたいな昭和的やりとりを令和の時代にもやっていたのだ。もしも国会議員を含めた議員連中が月収

20万円で、「本気で私は我が日本を良くする！」などと息巻いているのであれば応援するが、彼らは元々恵まれている人間ばかりだし学歴も高いし地盤があったりもする。

　地方議員にしても、ビジネスで財を成した人間が副業的に市議会議員をやっていたりするわけで、結局は自分本位である。だから私は政治家という職を選ぶ人間のことはまったく信用していない。AIの方が真っ当な判断をする場合が多いのでは？　とさえ思っている。本当に重要な首相や大臣については生身の人間がやるべきではあるが、高給取りの地方議員などほぼ無駄だろう。役人と自治体の首長が決めればいい。地方の議員なんてもんは、不要だし、単なる特権階級を生むだけだ。

　結局、当選する政治家なんてもんは既得権益を得ているか、「イケメン」「美女」「地盤がある」「なんか経歴がすごそう」といった大衆受けするような連中なのである。或いは、比例代表選のように、その時に勢いがある政党の公認候補になれた場合だけだ。こうした茶番が相次ぐのが政治なわけだ。こんなくだらないもんはかかわらないのが吉、とばかりに私は選挙には行かず、自らの能力を高めることだけを心掛けてきた。

　ただそれにしたって酷いんじゃないの、と思うことが多い。昔から政治家なんてそんなもんよ、と言う人もいるだろうし、今のほうがまだマシ、と言う人もいるだろう。そうかもしれない。

経済が成長軌道にある時代ならばそれでも良かったのだが、完全に頭打ちになり、低成長、マイナス成長が続く状況下では余計に政治のダメさ加減が目立つのである。

増すギスギス感

新型コロナ禍によるダメージから経済は当分立ち直れないというのは衆目の一致するところだろう。それがどのくらいになるかといったことは私の専門ではないのでここでは考えない。

私の仕事に関わることで言えるのは、経済の低迷がよりいろいろなところで溝を作るだろうということくらいである。簡単に言えばギスギスするのだ。すでにその兆候は見られている。

ネットを日々観続け、論調をウオッチすることが私の仕事なので、市井の人々の声をレポートしたり、ウェブメディアで出す記事の中身をいかにすべきかの参考にしたりする。新型コロナ禍の日本では、かつて「虐げられた」ロスジェネ世代による「俺たちの気持ちが分かったか」といった叫びが見られた。

「あの時、氷河期世代である我々が見捨てられた時は『景気が悪いから仕方がない』『自己責任』的な論調がまかり通っていた。しかし今、誰もがコロナによって不遇となり見捨てられている中、我々が受けた扱いを皆さん受けていますね」

「正直、氷河期に国から見捨てられた自分としては、今、補償を求める人々の気持ちには賛同できない」

こんな風に言いたい気持ちはよく分かる。私は第二次ベビーブーマーの中ではもっとも人数が多い1973年生まれ（約209万人）だったこともあり、バブル崩壊後の就職活動では「超氷河期」と呼ばれる時期にあたる。別の時代に生まれていればラクに〝一流企業〟に入れたであろう同世代が、待遇の悪い会社に入ったり、非正規雇用や無職になったりせざるを得なかった。

2019年以降、自治体・政府は氷河期世代の救済策を行うと発表。しかし、この倍率が凄まじかった。2019年9～11月に兵庫県宝塚市が行った職員採用試験は3枠に対して1635人が応募し、倍率は545倍。結果的に上位4人がほぼ同じ成績だったため4人を採用したが、それでも409倍だ。

また、2020年に入ってからも氷河期世代を対象に厚生労働省と内閣府もこの世代に対して中途採用の募集を告知した。厚労省には1934人の応募があり、内閣府は685人が応募した。で、実際の採用は厚労省は18人、内閣府は数人程度。

本来、他人が大変な時には、「困った時はお互い様」「自分も苦労したから気持ちはよく分かるよ」と言える人間でありたいと多くの人が思っているだろう。が、実際にそう振る舞えるかどうかは別である。

「私も就職氷河期世代として、苦しい思いをしたから、いまコロナのせいで苦しい人の気持ちもよく分かります。些少ながら100万円ほど寄付をします」なんて言える人は滅多にいない。人間の行動を規定する最大の要因が経済である以上、残念ながらこの先、社会のギスギス感は増していくだろう。

〝バカ義憤〟に駆られる日々

また、この数年、別のギスギス感を生み出していたのが、「リベラル」と「保守」の対立である。いや極端に左と右に振り切った人々の対立といってもいい。乱暴にまとめれば、とにかく何かあると「アベのせいだ」というのが前者で、それに対して「お前は隣国の回し者だ」と言い返すのが後者である。

両者は口論が生きがいなのかと思えるくらいにいつも喧嘩をしている。やっかいなのは双方ともおのれの正義を疑わないところだ。

本来、こんなものは一部の変わった人たちの揉め事ということで片付けられていたのだが、SNSの広がりによって実際の世の中を動かすケースが増えてきている。

2020年5月、新型コロナ禍の最中に話題になったのは、検察庁法改正問題であった。本来、検事総長が誰になるかなどというのは一般国民の関心事ではなかったはずである。誰か一人でも過去の総長のフルネームを言える人がどれだけいるかを考えてみれば分かるはずだ。

しかし、今回はどういうわけか、きゃりーぱみゅぱみゅや小泉今日子、室井佑月ら著名人がツイッターのハッシュタグ「#検察庁法改正案に抗議します」を拡散することに一役買った。そのため急にこの問題は大きな注目を集めることとなった。

朝日新聞などに代表されるリベラル派メディアは「#検察庁法改正案に抗議します」が470万件RT（引用）されたことを受けて「アベの独裁を国民は許していない！」といった論調で報じた。結果、この法改正にブレーキが掛かる。実際、反響を見て「これを強行したらヤバい」と政府も思ったのだろう。検察庁法改正は棚上げにされた。

実際に為政者が「世間の声」を読むことは悪いことではない。その意味ではSNSが「世間の声」をスピーディに政府に伝えた成功例だとも言えるだろう。この結果を受けて反対派の一人、室井佑月氏は、「イエ〜ッ。あたしたちの力よね〜。」とツイッター上で喜んだという。私もあの定年延長は不可解に思ったのでこれには賛同する。

しかし、私がここで言いたいのは「SNSは政治を動かす」なんて前向きな話ではなくて、そのあと話題になった小さな恥ずかしいエピソードである。

室井氏は「安倍政権が、日の丸アイコンのついたマスクをある企業に発注した」といったSNS上の言説を信じ込んでいた。信じるだけなら自由なのだけれども、彼女は企業への批判めいたツイートまで2月にしていたのだ。「日の丸アイコンなんかつける暇があるなら普通のマスクを量産しろ」という主旨である。もちろん、室井氏の仲間やシンパはそれに追随し、結果として企業は批判に晒された。

ところが実はこのマスクは2015年から製造されていたもので、新型コロナとも安倍政権とも別に関係なかった。「日の丸」↓「右翼」↓「アベ」という連想と「マスク」↓「アベ」という連想とが結びついた妄想をもとに、室井氏周辺は勝手に盛り上がり、他者を批判したというわけである。そして政府が先の検察庁法改正を見送った後、マスク会社の社長が、論争の材料にされることが本意でないと製造を休止していたと明かしたことでコトが表沙汰になったのだ。

室井氏は間違いが分かってすぐに謝罪の意を示したものの、日頃から彼女と対立する側の人たちがそれで納得するはずもない。結果的には「#室井佑月のテレビ出演に抗議します」がツイッターのトレンド入りした。「#検察庁法改正案に抗議します」が盛り上がってから1ヶ月も経っていない時の出来事である。

ただし、「#室井佑月のテレビ出演に抗議します」について「言論の自由を潰すつもりか！」といった批判がこのタグを作ったユーザーに多数寄せられ、結局は言論封殺の応酬にしかならないということを当人も理解したのだろう。このタグを作ったことは過ちであったことを認めた。

こんな具合に「アベは最悪！」派と「安倍晋三首相は正しい！」派のぶつかり合いがネットでは民主党政権崩壊以後、常に起き続けている。

いい大人たちが、党派や主義主張に分かれてSNSで毎日大喧嘩している。基本的に両者ともおのれの正義を疑わない姿勢は一貫しているので、和解することはない。展開も早い。室井氏を見れば分かるように、昨日「イエ～ッ」と思った人が、数日後には謝罪、撤回に追い込まれるのである。

こんなにバカな大人の私怨と思い込みとデマによる〝バカ義憤〟により、日々感情を揺さぶられている人もいる。

当人たちは大真面目なんだろうが、普通の人たちから見ると、どこか浮世離れしているようにも感じられるだろう。そんなことしている場合なのかと。

これもまた恥ずかしい日本の大人たちの姿である。


まえがきとしてはちょっと長くなりすぎてしまった。

ともあれ、ネットにのめり込んでしまうとどうしても恥ずかしい人を目にしてしまうのだ。それだけでなくて自分も恥ずかしい人になってしまうかもしれない。

もうちょっと人間世界から距離を置けば？　と伝えたい。これが今回本書をまとめた最大の意図である。本書は「週刊新潮」の連載「この連載はミスリードです」を抜粋・加筆したものです。

それでは恥ずかしい人の見本市へようこそ。

オッサンの態度がヒド過ぎる

なんでオッサンって敬語使えないんですかね？　一般化するのは無茶なのも分かっていますが、他の世代の男性や女性にはあまり感じません。自分もオッサンですが、もう少し年季の入った55歳～80歳ぐらいの方々のことです。

私は24時間営業スーパーの隣に住んでおり、冷蔵庫代わりのようにそこへ頻繁に行きます。するととにかくベテランオッサンの言葉遣いと態度がヒド過ぎる。この前見たのは、70歳ぐらいの白髪・メガネのオッサンでした。

「ワシ、日本仏頂面連盟渋谷支部長や。ワシ、次期支部長選でも勝ちたいから、日々のトレーニングに励んでるんや」とでも言いたげに、バングラデシュかミャンマー出身と思しき女性店員に対して、ジェスチャーをしています。眉間に皺を寄せながら手首にスナップを利かせ、シッシッと蠅でも追い払うように。

すでにオッサンは会計を済ませていますし、お釣りももらっているのにこのジェスチャーは何？　仏頂面連盟で流行りの運動か何か？　と見ていると、当の店員もポカーンとしている。

するとオッサンは舌打ちをして「あ・け・て！」と言うではありませんか。

アァ、分かりました。レジ袋を店員に開いてもらいたいということなのですね。分かります分かります。40歳を過ぎると指先が乾燥しますよね。若き日々の、常にしっとり感が保たれた状態と違うから、レジ袋開ける時はペロッとなめなくちゃいけないし、老眼もひどいからなかなか袋を開けられませんもんね。

その要求は理解できるものの、しかし言い方というものがあるでしょう。なーにが「あ・け・て！」ですか。あまつさえ、その意図に気付いた店員が開けてあげたら、パッとひったくって再び舌打ちをする。

いやいや、開けてもらったら「ありがとうございます」ですし、袋をカゴに入れようとしている店員から奪う必要もないでしょうよ。そもそも「あ・け・て！」ではなく、

「すいません、開けてください」でしょうよ。その直後の店員の、怒りをこらえている様が実に切なくなりました。遠い国から働きに来て、「あ・け・て！」に舌打ちコンボ、自分だったら仕事辞めたくなります。

飲食店でも、この手のオッサンは店員に「自分よりも年下に敬語を使ったら男失格協会渋谷支部長」ばりの態度を取るものです。

「取りあえずビール2～3本。焼き鳥10本ぐらい。あと、おススメはっ！」

「はい、本日は広田湾の生ガキが入荷しております。プルンプルンでおいしいですよ」と即座に店員が答えると、「ああそう、じゃあそれ、2～3個！」となる。

そして会計終了まで徹底的に敬語使用を避ける。気になるのは、店員を呼ぶ時に両手を顔の脇でパンパンと叩いたりすることです。

「さすがにそれは失礼ではないですか?」と以前指摘したところ、「店員なんて、池の鯉みたいなもんだよ。パンパン叩けば寄ってくるだろ?」なんて言うではありませんか。もはや敬語が使え、お礼が言えるだけで好印象を与えられる時代のようです。私はそれだけで若者から仕事をたくさんもらっています。(2020/1/30)

他人の外見にいちいち文句を言う人

他人の外見にいちいち文句を言う人が嫌いです。先日、いつも荷物を届けてくれる宅配便の男性(推定50歳)が、ヒゲをすっかり剃っていました。彼は、某大手A社の下請けとして働いており、その大手のユニフォームを着用しています。

「ヒゲはどうしたんですか?」と聞いたら「Aから剃るよう命令されたんですよ……」と答えました。彼は立派な口髭以外の部分は元々きちんと剃っており、それなりにケアはしていました。

「清潔感を保つように」「お客様に不快感を与えてはいけない」みたいなことがヒゲを剃らせる根拠なのでしょうが、整えたヒゲは不潔には見えません。もしかしたらクレームがあったのかもしれませんが、「巨人軍は常に紳士たれ」を謳う読売ジャイアンツへの移籍で小笠原道大がヒゲを剃った時の衝撃を思い出しました。

様々な〝常識〟が、これまで何年もかけて見直されてきました。それなのになぜいま、ヒゲごときをここまで問題視するのだろうか。

かつては、中高生が髪の毛を染めたら不良扱いされ、丸刈りにされることもありました。男性が右耳にピアスをしていたらゲイ扱いされましたし、そもそもピアスをする男性は胡散臭がられていました。今はそんなことはありません。

よく分からないのが、公務員やメーカー、インフラ系の仕事をするホワイトカラーが背広を着なくてはいけないことです。一方、普段私が接するＩＴ系企業のコンテンツの制作やプロデュースなどをする部署でスーツを着る人は皆無。それなのに同じ会社の営業系はスーツを着ている。

ドレスコードの重要性は認めるものの、正直、きちんと仕事さえしてくれれば、背広は着ないでもかまいませんし、ヒゲだってあっていいと思うのです。どうもこの世の中は「この立場だったらこの格好でなくてはいけない」といった不文律があるようで、実に気持ち悪い。

ついでに言うと不思議なのが野球の監督です。別に打席に立ったり守備についたりするわけでもないのに、なぜ選手と同じユニフォームを着て帽子までかぶっているのでしょうか。他のスポーツでは、選手と同じユニフォームを着た監督はとんと見ない。背広や普段着の監督だらけです。

バスケのノースリーブ&短パン、サッカーの短パン、アメフトのヘルメット&プロテクターを監督が着用していたら滑稽で仕方がない。

相撲の場合、土俵下にいる親方はバシッと和服を着こなしていますが、あれがまわし姿だったら情けなさ100%です。駅伝の青山学院大学のイケメン監督・原晋さんが選手と同じようにノースリーブ&短パンで襷でもかけていようものなら笑いがこみあげてしまいます。新体操のコーチがレオタードを着ていたり、レスリングの監督があの格好で脇毛ボーボーだったら大爆笑です。

このように、格好を統一しすぎてしまうとおかしなことになるわけで、先程の「宅配ドライバーはヒゲを剃れ」というのには改めて考えても違和感があります。ユニフォームはその会社の人だと知らせるためには必要でしょう。でも、それ以外は自由でいいんじゃないですかね。（2018/11/29）

撤回させるのに血眼な人たち

山手線の新駅「高輪ゲートウェイ」の命名が発表されると、さっそくネット上ではブーイングが殺到、ＪＲ東日本に対して撤回を求める署名活動まで起きました。一般から駅名を募集して「高輪」「芝浦」「芝浜」がトップ3になったのに、わずか36票で１３０位の「高輪ゲートウェイ」に決まったことも批判の根拠です。

でも、この手のものは一旦運用が開始されると、案外慣れてしまいます。２０１０年の奈良への遷都１３００年を記念して登場したゆるキャラ「せんとくん」（童子の頭に鹿の角が生えている）だって大ブーイングを浴び、撤回運動も発生。その後、「まんとくん」という、無難なキャラが民間団体の公募の末に誕生してもいます。

しかしせんとくんは、その異形から他のゆるキャラにはない強烈なインパクトを残し、今では奈良県の公式キャラです。一方で「まんとくん」のこと、奈良県民以外は覚えていますか。このように、慣れてしまえばどうってことなくなることが多い。それともアレですか、一企業がやっていることに文句を言って変えさせるのを常態化させたいんですかね。

正直に言って、「高輪ゲートウェイ」はセンス悪いと思います。また2020年3月に開業した駅舎の明朝体フォントにも、物言いがつきました。

でも、JR東日本の決めたことなんで、いちいち文句をつける筋合いはないんじゃないでしょうか。こんな文句がまかり通ってしまったら、自動車の名前だって変更に追い込むことは可能になります。

日産の「シルビア」も、全世界のシルビアさんが「こんなクルマと私のイメージは違う！　この名前を冠した車は全部スクラップにして！」なんて言い出して通ったらもはや地獄です。「不快に思ったら声をあげて撤回させる社会」は不健全です。当然JRの駅というものは公共性が高いものではありますが、一私企業が決めたことになんでここまで撤回要求をするのか。

そもそもヘンテコな駅名や空港名なんていくらでもあるし、自治体の名前にも、自分だったら恥ずかしくて住みたくないようなものは案外多い。

「天王洲アイル」「YRP野比」「半家（はげ）」など。2016年に廃止された「増毛（ましけ）」なんて、ヅラ疑惑が出た細川たかしがわざわざこの駅で疑惑を否定したりもしました。

あとは空港にしても、愛知県には「中部国際空港セントレア」なんてものがあるし、自治体の名前でも様々な合併などを経て「まんのう町」「南アルプス市」「つくばみらい市」ってもうアホですか。まんのう町で乱交パーティーがあったことが報じられた時のネットの盛り上がりったら……。

さらには中央線の国分寺駅と立川駅の間に駅を作る際に「えーい、1字ずつ取って『国立』でいいんじゃね」みたいに付けた「国立（くにたち）」がそのまま市名になった例もあります。「こくりつ」ではありません。私は立川市民で、国立市については「なんてテキトーに決めたんだ」と呆れましたが、一橋大学、国立音楽大学の附属中高、国立高校、桐朋高校があり、今や文教地区として立川・国分寺よりも圧倒的にブランドは上です。

色々なことは時間が経てば当たり前になる。地名や駅名もそうです。誰かが決めたことをいちいち撤回させるのに血眼な人間に自分は生まれなくて良かったなと思います。

（2018/12/27）

１％のクレーマーを優先するな

東北の小中学校で、運動会の開催を知らせてきた花火の風習が中止になりました。東京都小金井市では、大みそかの除夜の鐘がうるさいとクレームがついて中止に。私自身は、世間の騒音に異議を唱え続けてきた中島義道氏の著書『うるさい日本の私』に共感するものの、さすがに運動会の花火や除夜の鐘に文句をつけるのは「世も末」としか思えません。

中島氏は、公共の場でのアナウンスや廃品回収車の宣伝音などと戦ってきました。若い頃は私も全面的に同意していましたが、たとえば動く歩道の「こちらで終わります」的な機械音のアナウンスは、視覚障害者には必要なものだろうと今は真剣に思います。

さて、花火と除夜の鐘の中止は、ここまで来るともう「オレ様のクレームで潰してやったぜウハハハ」という万能感を得たかったのでは、と思ってしまいます。あるいは日頃から他人に構ってもらえないため、「迷惑を受けている立場」を強調することで、相手にしてもらおうとしているのでは？
「うるさくて苦痛だ！　一年を振り返る大事な日なんだから静かに過ごさせてくれ！　元日朝5時に起きて乾布摩擦をするのが先祖代々の重大行事なのに、除夜の鐘のせいで毎年4時間しか寝られない。これは重大な人権侵害だ！」なんて言ったら筋は通っているわけですよ。

私は匿名掲示板5ちゃんねるに書かれた「99％の大多数よりも1％以下のクレーマーを優先するのそろそろやめよ」や「除夜の鐘聞こえないから鳴らせってクレーム入れてくるわ」という意見に全面的に賛同しますけど。

とはいえ多様性（笑）の時代なだけに、こうなったら、こうした寂しい方々のために、文句をつけられそうなアイディアとロジックをいくつか出しましょう。「楽しみにしている人もいる」「年に何度もあることじゃないから……」といくら力説しても聞く耳を持たないN氏の発想、とお考えください。ただし、救急車のサイレンは必要なことぐらいは理解している、という僅かな常識はあるとします。

・神輿の掛け声↓「おごそかに黙って担げ！」

・通学路ではしゃぐ子供達の声↓「静かに歩くよう注意書きの看板を設置せよ！」
・夜騒ぐ酔っ払い↓「20時を過ぎたら逮捕だ！　私は朝が早いんだ！」
・瓶缶の回収車のガラガラという音↓「覆いのあるトラックを全面導入して閉め切った中で作業しろ！」
・街路樹・商店街のライトアップ↓「夜に明るいのは異常だ！　エコの観点からも問題だ！」

このＮ氏の「音嫌い」「普段と違う状態嫌い」はその後深刻さを増していき、ついには「雨がザーザー降る音」「雷の音」まで耐えられなくなってしまいました。そこでＮ氏は市役所に行き、こう言いだす。

「これらの音を放置してきた市の責任は重い。市全体を覆う高さ１０００メートルのガラスの屋根を作り、光は入るものの、雨の音や雷の音が聞こえないようにしなさい！　必要な水は貯水池に落ちる構造にしなさい」

これを妄想と言ってはなりません。すでに日本は「除夜の鐘」と「運動会の花火」まで中止するほどクレームに弱い社会になったのですから。（2020/1/2・9）

「牡蠣ソフト」でいいのか、ご当地グルメ

観光地に行くと毎度「日本人は味覚障害か！」と思います。「いや、名産品を売りたいのは分かるけど、その食材をコレにしちゃダメでしょ」的なものがあまりにも商品化されすぎている。

う～ん、ご当地の努力に水を差したくないのであまり具体的には挙げないものの、わさびの名産地では「わさびソフトクリーム」や「わさびサイダー」があり、牡蠣の名産地では「牡蠣ソフト」がある。イナゴを食用とするエリアでは「バッタソフトクリーム」もあります。名古屋であればなんでも味噌と絡めるし、北海道ではジンギスカンがキャラメルになる。

富山県では名物「白えび」をえびせん風にしたものは常道としても、ご当地のラーメン「富山ブラック」を飴にした「富山ブラックドロップ」なんてものがある。売れゆきにはシビアなコンビニが販売しているのを旅行中に見たので、そこそこ売れているのでしょうが、正直、これを「富山土産だよ」と貰って嬉しい人なんているのでしょうか。

いや、ウケ狙いをしないでいいから「ますのすし」を買ってきてくれよ、頼むから。

私は週に2回、某出版社で働いており、時にこうした前衛的なお土産をおすそ分けしてもらいます。ただ彼らはあくまでもネタとして買ってきてくれるわけで、イヤイヤ食べた人はすぐに吐き出しますし、残ったものは共有のおやつスペースに置かれ、いつしか誰も食べないまま賞味期限切れを迎えることに。

だいたい、わさびだの牡蠣だのの生産者も、こうした奇をてらっただけの商品を開発されることに怒っていいのではないですか？　あれ？　生産者自らが率先してつくることもある？　ならいいです。

こうして私が憤りを感じるのも我が地元・東京都立川市が「うど」を名産にしようとこの何十年も頑張り続けているからです。立川市はうどの生産量が東京一で、小学生の時は誇りに思っていましたが、街を挙げてうどをＰＲしても的外れというかなんというか。うどラーメン、うどパイ、うどとアンコを挟んだどら焼きみたいなものもあったりします。

うどというものは先人の知恵で、「酢味噌和え」やら「きんぴら」といった料理法が確立され、これらは春の風物詩として、我が家でもおいしく食べていました。

富山のコンビニで「富山ブラックドロップ」が売られているのに気づいた際、店員がおにぎりの消費期限をチェックしながら、期限の切れたものをぽんぽんとカゴに放り込んでいました。カゴはすぐ満杯になり、それを見ながら「もう少し丁寧にお願いしますあと、客の前で堂々とそれやらないでくれない?」と思ったものです。

食料品の廃棄が酷い状況になっているのと同時に、「インスタ映え」ブームもありウケ狙いの食品は増えています。それらの廃棄分も、まともな商品の価格に転嫁されているのでしょう。余計なお世話ですが、食べ物が捨てられるのを見ると、毎度心が痛みます。(2019/4/18)

後継者不足は教科書のせい

『食彩の王国』(テレビ朝日系)という番組が好きで毎週観ています。同番組には一つの「型」があり、まずは品質の高い食材の生産者が登場、これまでの奮闘が描かれます。続いてその食材にホレ込んだ料理人が登場し、独創的な料理を振る舞うと、生産者が「こんなにおいしくなるんですね」と感動して終了、という流れです。

品質を守る苦労なども描かれますが、多くが設定として「1980年代まではこの地域でも○○づくりは盛んだったのに、その後は後継者不足に悩んでいた」。そこに若き生産者が、その火を絶やすな、とばかりに立ち上がる。しかし野菜の場合は特に、途中台風で全滅し収入がなくなったりするのですね。落ち込む彼ですが、ひょんなことから糖度を高めるきっかけを見つけ、この野菜が大ブレイク、となります。

第一次産業にはこうした成功譚が数多く存在しているものの、また問題になるのが今後の後継者不足です。成功者が登場する同番組でさえ、無関係ではいられないのが見ていて分かります。

なぜ後継者不足になるのか。これには私と同世代の第二次ベビーブーマーが「第一次産業は遅れてる・ダサい」との印象を子供の頃植えつけられていたことも影響していると考えます。何しろ1980年代中盤、小学校の社会の教科書の論調はこんな感じでした。

〈公害病及び赤潮・青潮など環境汚染は確かに酷いが、日本には国と雇用を支える見事な工業地帯が4つある（京浜・中京・阪神・北九州）。さらには瀬戸内工業地域や東海

工業地域もあり、これら〝太平洋ベルト〟により日本は繁栄を迎えているのである。公害病もここしばらくは発生していない〉

農業の扱いはといえば、強調されたのが「機械化貧乏」でした。農家はトラクターや田植え機などを買うために多額の借金をし、貧乏になる、という話です。さらには、中国の人民公社やソ連のコルホーズとソフホーズがあまり機能していないことも挙げ、「だから農業はダメなんだ！」と徹底的に叩き込まれました。

いつしか子供達は製造業のサラリーマンこそ目指すべき道である、と思うほか、農家の子供達をバカにするように。祖父が農業をやっている同級生もいましたが、彼らはその事実を隠していました。あくまでも「お父さんはサラリーマンをやっている。僕も農家にはならない」と言うのです。学校で教えられる内容と、同級生が農業をバカにする姿を見ているだけに、農家の孫であったとしても、「ウチのお爺ちゃんはダサいんだ」と思わされる空気があったのです。

しかも、私が1984年3月まで暮らした神奈川県川崎市では、米飯給食がゼロでした。東京都立川市に引っ越したら、週に1回だけ米が出るように。これも「日本は工業製品を大量に輸出し、パンや麵の材料となる小麦は輸入すればいい。米は時代遅れだ！」的な発想を当時の政府や農林水産省が持っていたのかもしれません。

どんな大企業に勤めようが安泰ではない今の日本。結局最後は食料を握っている人が勝つわけなので、なぜベビーブーム世代に農業への憧れを抱かせる教育をしなかったのかと思います。

ああ、あの頃「たのきんＤＡＳＨ村」という番組企画があれば良かったのに。（2019/7/25）

「話せば分かる」はやはりウソ

分かり合えない者同士の議論ほど無駄なことはありません。「話せば分かる」はウソです。「自分が共感できる人間だと示したい」「理解できないことは論破したい」が真実なのです。

株式会社ＺＯＺＯ・コミュニケーションデザイン室長だった田端信太郎氏と、生活相談・支援を行うＮＰＯ法人ほっとプラス代表理事の藤田孝典氏のツイッター上の議論が、

AbemaTVでの「公開討論」に発展しました（2018年11月）。

議論内容の大枠は、「ZOZOはカネあるんだから非正規従業員に還元せよ」と藤田氏が田端氏に訴える。ステレオタイプな見方は、「強者の論理を振りかざす田端氏」vs「弱者に寄り添う藤田氏」です。藤田氏は「時給1300円にしたら評価する」「ZOZOは労働組合を作って」などとツイートしていましたが、実際対面してみたら……。結局放送では田端氏の正論を藤田氏がのらりくらりとかわし、最後まで嚙み合いませんでした。

私はといえば、田端氏に近い考えです。しかしこれは「強者の論理」ではなく、「オレの人生、他人に頼ってる場合じゃねーよな」という根本的考えからです。そして、「本当にヤバくなったら自治体と国に泣きつこう。日本に生まれて良かった」という考えがその先にあるからです。

あとは、集団行動が嫌いなんですよね。時々「最低賃金を1500円にしろ！」みたいなデモがありますが、誰に対して言ってるのかがさっぱり分からない。デモ隊は政治家に対しても意見しますが、政治家よりも雇い主に言った方が手っ取り早いんじゃないか。そして、「1500円」がそこまで重要なら、雇い主がそれを認めない職場はさっさと辞め、１５００円以上払う会社を見つけるか、時給１５００円以上の仕事を自分で作ってしまおうと考える。

これは私や田端氏からすれば至極合理的な判断ですが、世の中には「制度として１５００円にしなくてはならない」と考える方がいます。すると、そうなっていない会社や制度に文句を言います。前出の件では、最近目立つＺＯＺＯだからこそ、藤田氏は狙い撃ちにしたと感じました。時給１３００円未満の企業なんていくらでもあるのに、藤田氏は田端氏に執拗に絡んだ。

この文章を藤田氏が読むことがあれば、反論は色々あるでしょう。ただ、同氏が何を言おうとも多分田端氏も私も理解はできない。人間とはそういうものです。

だったらこの手のディスコミュニケーションは解決されないのか？　それは違うと思います。「当事者」になることにより、解決されるのです。現在、

私はとある障害者・Aさんと一緒に密接に仕事をしています。車椅子がないと移動ができないAさんと一緒に仕事をすることにより、バリアフリーや障害者差別に関する意識が高まり、街を歩いていると常に「Aさんと一緒にここに来られるかな？」という視点に立つようになりました。これは半年前にはなかった視点です。

「意見が異なる者同士、話し合いは困難」は真実ですが、色々経験し「当事者性」を獲得することにより何年後かに分かり合えたりもします。その点、弱者の当事者性を持つ藤田氏は賞賛に値します。（2018/12/6）

レストランへ何しに来てるの？

「写真」がいかに人々を虜にするか、ということを実感する貴重な経験をしました。知り合いの夫が働くレストランへ、知り合いとその友人と一緒に行った時のことです。

湘南のオーシャンビューの素晴らしい立地と、実に美味なる味付けでこの店は評判です。しかもインスタ映えする手の込んだ料理が次々と出てくる。店主やスタッフも感じが良く、サービスも素晴らしいのですが、周囲の客が写真ばかり撮っている。

店に入ろうとしたところ、男女二人組が店の前で写真を撮っていました。ドラマのロケ地にもなった店なのでファンが「聖地巡礼」的に来ているのかな、とおおらかな気持ちで二人が写真を撮り終えるのを待ちました。しかし、店構えを何枚も撮るほか、二人の自撮り写真、女性が店の前に立ってポーズを決める写真を何パターンも撮って、なかなか終わらない。1分半ほど待ったところで終わる気配なしと判断し、一瞬二人がスマホを構えるのをやめ、写真を確認し始めたところで「今がチャンス！」とばかりに頭を下げて店に入りました。この段階では、「ドラマが好きな恋人同士が疑似体験をしに来ているんだな、若いっていいね」と思っていました。

我々は料理を注文し、知り合いの夫や店主の挨拶を受け、生ビールで乾杯も終了。入店して10分ほどが経過した時、入ってきたのがなんと店の前で撮影をしていた男女だったのです。

門扉から店内到着するまでにもまだ撮影を続けていたことが想像できますが、店内に入ってからもすごかった。店の中の様子をパシャパシャ撮り続け、さらには向かい合って座る互いを交互に撮り合う。女性が頼んだシャンパンが来たら様々な角度から撮影、それを持った様子も撮影。男性が頼んだ炭酸入りのソフトドリンクが来たらそれも撮影。

グラスを合わせる様子やらグラスを持っている様子なども撮影。あまりドリンクに口をつける様子もなく、ドリンクの撮影が終了したら今度は海が見えるバルコニーへ。

バルコニー自体はもちろん、手すりにもたれて立つ彼女や彼氏の写真を撮り合い、海だけのショットも撮り続ける。最後は自撮りを何枚も撮る。この日の最高気温は36℃だったものの、暑さなどものともせず、「写真魂」を発揮し続ける二人。結局この二人が頼んだ飲み物は最初の1杯ずつで、後は無料の水でした。

ここまで来たら後の展開は分かると思うのですが、料理はすべて「全景」から「個別」まで撮影し、互いを撮り合い、自撮りもする。そして、会話がほとんど聞こえてこないのも特徴です。何をやっているのかと思えば、撮影した写真を厳選し、削除をしたり「奇跡の一枚」を選んだりしている。他人のインスタグラムもチェックし、とにかく

二人してスマホばかり見続けている。そして他のテーブルの客も、この二人ほどではないもののとにかくスマホ三昧なのです。

もはや目の前に人がいる場合でもスマホをいじり続けることは常識となったようですので、スマホをいじっていた貴ノ岩を注意した元横綱・日馬富士こそ非常識なのかもしれませんね。いや、もちろん暴力はいけませんが。（2018/8/30）

「水分、水分」ってバカ扱いするな

ここ数年は決まって「猛暑」です。暑い時期の天気予報の定型句に、「水分補給をこまめに行い、熱中症対策をしてください」というものがあります。何らかの屋外イベントに参加する人々に対し、ツイッターでも「こまめな水分補給で熱中症対策を」と呼びかける一般人が続出する。

これって一体なんなのですか。クソ暑い中、水分を摂らずに我慢し続ける人がそんなに多いのか。今や街中のいたるところに自動販売機やコンビニはあるわけで、水分なんてものはいくらでも補給できる。大混雑したイベント会場にしても、ペットボトルが売り切れてしまっても最悪、手洗い用の水でも飲めば水分は補給できる。

この「水分補給を」と呼びかける人々ってのは、よっぽど人間をバカ扱いしているのかな、なんて思ってしまいます。「喉が渇いた」という状況になれば、そりゃ、誰からも指導されなくても水ぐらい飲むでしょうよ。かつて中学や高校の運動部では「練習中は水を飲むな」といった指導をされていましたが、今はもうこんな妄言は許されない。ただちにPTAからの糾弾の対象になります。だから、必要に応じて水を飲むことは大人も子供も当たり前なのに、相変わらず天気予報がこの注意喚起を行う。

電車のホームで「白線の内側までお下がりください」というアナウンスもバカげている。電車に接触したら大惨事になるのは自明なので、「まもなく電車が到着します」だけでもいいのに、鉄道会社は「白線の内側まで……」と言う。不注意で死んだ場合に、遺族が「注意喚起が甘かった」とクレームをつけるだろうから仕方ないとはいえ、客をガキ扱いしています。

そもそも猛烈に暑い中、水分を摂らずに熱中症になったらその人が悪い。どうも世の中の注意喚起というものは、もっともレベルの低い人に合わせる状況になってしまっているようです。だから世の中騒音だらけなのです。

エスカレーターに乗ると、「近くで遊ぶな」「手すりにつかまれ」といったアナウンスが聞こえてきます。数年前、商業施設のエスカレーターで、車椅子に乗った79歳の妻と押していた81歳の夫が転落し、その後ろにいた76歳女性が巻き込まれて亡くなる事故がありました。同施設には４基のエレベーターがあったようで、なぜそれを使わなかったのか、との疑問がネットでは出ました。しかし、エレベーターが混んでいる場合は、車椅子やベビーカーは利用しづらい、といった意見もあります。こういう場合にこそ、注意喚起のアナウンスが必要でしょう。

しかし、私が特に嫌いなのは、イベントの際「熱中症に気を付けて、水分・塩分補給をちゃんとしてくださいね！」なんて無関係なのにいい人ぶるツイートをする方々です。真っ当なことを言ってるのですが、こんな友人は欲しくありません。（2017/8/10）

第三者委員会が胡散臭すぎるので

２０１９年3月、ＮＧＴ48・山口真帆に対する「暴行問題」をめぐる第三者委員会の調査結果が、運営するＡＫＳの松村匠取締役らから発表されました。その会見中に、山口本人がツイッターでその内容を全面否定する展開となりました。

それで改めて感じたのが「第三者委員会」なる謎の組織の胡散臭さです。AKSが選定した弁護士3人で構成され、しかもその報告書を第三者委員会が自ら発表するのではない。管理責任者かつ当件をさっさとうやむやにしたいNGTの運営者が発表するという茶番劇だったのです。

山口のまさかの〝会見乱入〟があったからこそ、うやむやはいくらか回避できたわけですが、過去の様々な不祥事の際に登場してきた「第三者委員会」の果たした役割とこの言葉の真の意味を考える必要がありそうです。

粉飾決算、パワハラ疑惑、いじめ自殺などで矢面に立たされた時、その当事者が「第三者委員会を設置し、真相の究明にあたるとともに再発防止策を策定します」と宣言しますが、一つ目の存在意義はコレです。

「とにかくこの謝罪会見を乗り切りたい」

公正な目を持った第三者に判断を委ねるのですから、皆さん、その結果を待ってくださいね、ネッ！　今、私が何かを話したとしても、客観性はないんです！　もう少し待ってくださいね！

何しろ、すべての質問に対して「第三者委員会の結論を待ちたい」と言えばその場は乗り切れる。会見後に第三者委員会を設置すれば、それで数ヶ月はやり過ごせるし「我々も本気で問題の究明に取り組んでいる」とアピールできる。記者が直撃しようが「第三者委員会にお任せしています」の一言で逃げられる。

そして、その調査結果の発表についても「第三者委員会がこう結論づけたのですから」と言えばすべてがまかり通ります。これが二つ目の存在意義。当然、第三者委員会のメンバーにはカネを払っているわけですし、知り合いだったりもするため、立場上は「身内」にあたることもあるわけです。自殺をした中学生をめぐり、「いじめはなかった」なんて結論になったりもする。いや、いじめがなければなぜ子供が自殺をするんだ？

外部の調査委員会の結論を待つのではなく、被害を訴え出た人間が弁護士とともに公開の場所に出て、

加害者当人やそれを監督する人間と対峙して意見をぶつけ合えばいいのです。もちろん、被害者にその気があればという条件つきですが、双方の言い分を司会進行役の立ち会いのもと全文公開すれば、どちらに分があるかは分かるもの。

組織とその責任者の立場を守るだけの第三者委員会にしないためには「報酬額の開示」「双方と面識がない人間のみで構成」「被害を訴え出た側と加害者として名指しされた側、双方の話を聞く」という3つのルールを作るべきです。第三者委員会を結成し調査した結果、被害者の言い分が正しかった場合は罰金を科す、というのもいいでしょう。何せ無駄に時間を稼ぎ、被害者を長期にわたり苦しめたのですから。

こうなったら、「第三者委員会」をチェックする「第四者委員会」の招集も必要なのではないでしょうか。(2019/4/11)

東京在住者が知らない「トンキンvs地方」

参議院議員の河井案里氏による「運動員買収」事件、これが元で夫の河井克行氏が法務大臣を辞任しました(後に2人とも逮捕)。これをテレビが後追いしたのですが、案里氏の地元・広島市安佐南区の住民の発言が面白過ぎました。声から高齢女性と思われます。彼女はこう言いました。

「あの人はね、カッカッカッとそこら辺を歩いているのよ」

案里氏がスーツをバシッと着こなし、イケてるキャリアウーマン然として自信たっぷりに歩いている、ということでしょう。彼女はこう続けます。

「この辺はね、ヒールを履いている人なんていないから（目立つのよ）」

ヒールを履いているだけで異端児扱いですよ！　だったら金髪、刺青、外車所有、短パン、ピアス、腰パン（ズボンを通常より低い位置で穿くこと）、サングラスの人がいても同様に「この辺はね、ピアスをつけた男性なんていないからおったまげましたよ！」なんて言われてしまいそうです。東京にはありとあらゆる類の人がおり、私の居住エリアは外国人も大勢住んでいますから、この女性のような考えはなかったのです。

２０１３年の「山口連続殺人放火事件」を題材とした『つけびの村　噂が5人を殺したのか？』（高橋ユキ著・晶文社）というノンフィクションを読みました。現場である山口県周南市の限界集落が舞台です。

読んだ感想は「ここはオレが知ってる日本とは違う……」というものです。東京在住の著者が現地を訪れるのですが、何しろ集落ならではの「噂」がそこかしこで流布しており、よそ者の著者は徹底的に警戒される。その書きぶりに、「田舎者をバカにしてる」なんてレビューをつけた読者もいます。しかし、著者の高橋氏に確認すると「私も北九州市八幡西区のバスの終点のド田舎出身なんですけどね……」とのこと、だからバカにしているはずはなく事実を伝えているのですが、都会モノが勝手に田舎をバカにしてる、と捉えられてしまった。

奇遇ですが、私も母方の実家が北九州市八幡東区にあり、同じくバスの終点の田舎です。帰省時に散歩をすると、住人がカーテンを開けてそーっとこちらを見ていたり、わざわざ外に出てきて門扉の後ろから「不審者が来たな」的な態度を取られます。

その後、井戸端会議では「無精髭で短パン・サンダルのだらしない男が歩いていた。お宅は泥棒の被害に遭ってない？」みたいな噂話の主人公になったかもしれません。

また、東京と北陸の某県を拠点とする知り合いから聞いた話ですが、彼は「よそ者」ということで某県の町内会に入れず、ゴミ捨て場を使えないそうです。ゴミを捨てる時は大家さんの家まで車で運んでいると言っていました。

こういうことを書くと「田舎をバカにしてる」とまたもや言われてしまうのですが、

東京もネットでは散々バカにされていますよ。大雪が降って公共交通網が麻痺して帰宅難民が発生したら「トンキン脆弱ｗｗ」、新しくできたカフェに大行列ができたら「トンキン民度低っｗｗ」「なんでトンキン民はこんなに行列が好きなの？」なんて書かれます。知りませんでしたか？「トンキン」とは「東京」の蔑称です。お互いバカにされ合っていると感じます。（2019/11/21）

（＊コロナ禍の中では、東京に感染者がベラボーに多かったことから「トンキンいい加減にせえ！」や「トン菌」なんて書かれてしまいました）

第2章　権力と胡散臭さは紙一重

ジョンソン首相を見習えなくとも

新型コロナ蔓延のなか、スーパーやドラッグストアで働く人々が心配でたまりませんでした。何しろ、彼らは毎日、人間の醜悪な部分を見せられたのですから。店には客が押し寄せ、買い占めをしたり、店員さんに「いつマスクは入るのだ！」「なんでトイレットペーパーがないのだ！」と食ってかかったり。「入荷は未定です」と説明しても、翌日やってきては同じ質問を繰り返す。こんな客を毎日相手にすれば、「もう人間なんて嫌」と思うに違いありません。

私はこれまで近所の業務用スーパーを利用していましたが、この時は殺気立った客たちと疲弊しっぱなしの従業員の方々の姿を見てられなくなり、遠くにあるコンビニに行っていました。

異常な状況下に流れた吉報が、イギリスのボリス・ジョンソン首相が新型コロナから生還を果たしたことでした。一時期は集中治療室（ＩＣＵ）に入り、深刻な状況にも陥りましたが、退院後に公開した動画は人々の心を打ちました。外出を控え、「社会的距離」を徹底するなど、我慢を強いられている英国民や医療関係者に、そして自分自身をケアしてくれた看護師の人々には実名を挙げて、「疑問の余地なく、命を救ってくれた」と感謝の言葉を述べたのです。

元々ジョンソン氏はブレグジットを主張し、「イギリスのトランプ」扱いされ、リベラル派からは総スカンでしたが、今回の演説で評価はウナギ登り。理由は、自らの言葉で本心を述べ、人々に心からの感謝をしたから。やっぱりリーダーってこうあるべきですよ。

一方、我らが安倍晋三氏はというと、会見はプロンプターに浮かぶ文字を読み上げるだけ。当然ながらまったく心に響きません。

そして極めつきは、「家にいろ」をアピールするために作った動画。歌手の星野源さんが公開した『うちで踊ろう』の動画を勝手に使い、その脇で自分自身がソファーに座って飼い犬を撫で、茶を飲む姿を披露しました。

折しもこの動画がアップされた日、失業者たちが、コロナ感染のリスクを押して休業補償を訴えるデモを行っていました。場所は安倍氏と麻生氏の豪邸がある渋谷です。ええ、私のオフィスは安倍氏の私邸近くなのでよく聞こえました。そんな中、この優雅で呑気すぎる動画を配信するよう安倍氏に助言した馬鹿は誰なのか。

まともな感覚があれば炎上するのは分かるでしょうに。

想像するに、一般的な「家にいる姿」を見せたかったのでしょうが、多くの一般家庭では、子供や高齢者の面倒を見ながらリモートワークという修羅場が展開されており、優雅に茶なんて啜ってられない。

そもそも日本の政治家は、どの党所属であろうとも様々な利権団体から支援を受けているため、大胆な政策決定はできない。官僚任せのため、人の心を打つスピーチも望めない。

では何ができるのか。現場で奮闘する医療従事者、小売店関係者、インフラや運送業者の皆様への感謝と苦しむ人への素早い支援です。変な動画で国民感情を逆なですることではない。

安倍氏はよく民主党政権時代を〝悪夢〟と呼びますが、それは、東日本大震災の影響が大きい。

このままだと、コロナ禍が終息したあとには、「悪夢の自民党政権」という言葉が誕生することになるかもしれません。（2020/4/30）

一斉休校、安倍首相はこう言うべきだった

2020年3月2日からの、安倍晋三首相による全国一斉休校要請に、困惑や反発の声が上がりました。子供達の卒業式の思い出はどうなるのか、働く親はどうすればいいのか、給食を栄養源にしているのに、など。まあ、この時だけでなく、当初から安倍氏と政府の説明はヘタクソ過ぎましたね。情報発信の勉強しろよ。

安倍氏は「思い出をつくるこの時期に、学校を休みとする措置を講じるのは断腸の思い。学校が休みとなることで、親御さんにはご負担をおかけする」と述べたうえで、この間、学校に子供達や教職員が集まることの感染リスクについても触れました。

正直、新型コロナが2003年のSARSや2009年の新型インフルエンザよりも

回っていたことは間違いありません。

危険なのかはよく分かりませんが、世界的なパニックぶりについてはコロナが両方を上回っていたことは間違いありません。

SARSと新型インフルの流行時に、東日本大震災で起きたようなトイレットペーパーやインスタント食品買い占めなどの騒動を見せてテレビが危機感を煽ったかといえば、そんなことはない。「よく分からない」からこそ、テレビも含めてパニックになっていました。

であれば、経済活動を営むわけではない学校を全部休校にするのは「アリ」でしょう。それに、3月上旬から休みになって、卒業式がなくなっても、学校時代の思い出って完全に毀損されますかね？　私なんて中学時代の最大の思い出は制服のズボンの中にうんこをもらしたことですよ。

子供ってあたりかまわず触りまくるし、周りを気にせず咳はするし、予防意識は大人ほど高くない。「インフルエンザで学級・学校閉鎖」はよく聞きますが、「インフルで職場閉鎖」「インフルでイベント中止」は聞いたことがない。これは大人がより予防意識をもって対応しているからですし、経済活動を停滞させる方が問題が大きいと考えているからです。だったら学校閉鎖の方が合理的だし、過去に「閉鎖」を経験している学校の方が、家庭も含めて〝慣れ〟の面では対応力は高い。あとは親御さんの職場の理解が進むことこそ重要です。

前倒しの休みは親子にとって本当に気の毒ですが、社会全体の最適を考えたら子供達を休みにするのはマシな措置だったのでは。それから感染してしまった児童・生徒はその後「コロナ野郎」「汚染迷惑バカ」などといじめの被害に遭うかもしれないことも考えておくべきです。子供ってそこまで残酷なんですよ。

それにしても安倍氏についていつも思うのは、説明のヘタクソさです。滑舌の悪さは仕方がない。でも、役人が作ったペーパーを基に喋るから感情がこもっていないうえに、近年の無茶苦茶な閣議決定の説明には論理的矛盾が目立つ。何かを言い切っても、東京五輪誘致時に「原発はアンダーコントロールにある」とウソをついた時の印象が強すぎる。

今回、国民を納得させるにはこんな感じのことを言えば良かったと思うんですよ。

「一斉休校の理由は、国全体の被害減少のためにまず取れる手だからです。子供達にウイルス感染に慎重な行動を求めるのは酷ですし、感染しても重篤化しにくいとはいえ、リスクは避けねばなりません。勉強が遅れる？　これを機に自習の習慣をつけたり、興味あることの才能を伸ばして下さい。大人は、その間頑張って経済をまわしましょう。

今は国難なんです」（2020/3/19）

権力者兼高給取りのサボりを許すな

公職選挙法違反疑惑の渦中にある河井案里参議院議員と、夫の河井克行前法相が国会を1ヶ月以上サボりました。同じくして大相撲でも二横綱が途中休場となりましたが、白鵬は横綱になって以来の12年半75場所中12場所休場で、うち5場所は全休です。鶴竜は35場所中14場所休場、4場所全休。

学生や会社員はサボったら怒られたりクビになったりするのに、国会議員とか横綱という権力者兼高給取りがこんなにサボるのはなんで許されるのでしょうか。

国民のために仕事しないんだったらさっさと議員辞めて補選しろよ。立て！　地元・広島県民よ！

そして大関以下の力士は、「オレらは休場したら番付落ちるから必死なのに、なんで横綱だけ休み放題なんだよ！　そんな横綱に『品格』なんてあるかっつーの！」と正論をブチかませ。

不思議なのは、日本相撲協会が、横綱がいなかったら「場が盛り上がらない」と本気で心配していることです。幸い、大相撲は相対評価のため、全力士中もっとも強い力士が横綱になれる。不人気の2人が引退すれば、他の力士の間で横綱を目指す争いとなるわけで、大関の貴景勝が2連覇でもすれば横綱になるわけでしょう。関脇・朝乃山だって「3場所で33勝」とか「3場所で1回優勝」くらいで大関になれるわけです。毎場所「次はあいつが横綱だ！」「大関昇進、あるか！」みたいな話で盛り上がる方が、休んでばかりの横綱2人がいるよりも面白い。幕尻・徳勝龍の歴史的快挙は愉快でしたが。

とにかく、我々のような下々からすれば、国会議員と横綱だけ休み放題ってのは腹が立つ。というか、親分の首相がピンチなのに、河井夫妻は何をやってるんだ。

最も気になるのは、河井夫妻を筆頭とした疑惑の渦中の人物が説明を避ける言い訳です。まず「捜査に支障を来すことについては発言を控える」。

捜査が始まっているのなら、捜査員に伝えたことを言えばいいし、まだなら、これから捜査員に対して言う「真実」を話せばいいだけ。昔、とある会社の中で仕事をしていたところ、コソ泥を捕まえたことがありますが、仮に取調べ前に記者が私のところに来たら、「9階で見つけ4階まで追いかけて捕まえました」などと真実をキチンと話しますけどね。これを記者に言ったからといって捜査には何も支障はない。この時は警察署で3時間半にわたる取調べを受けました。

疑惑の人物はあたかも、「私は捜査関係者様に迷惑をかけたくないですし、真摯に協力しようと思ってます、本当は真実を話したいんですけど話せないんです」といった態度ですが、本音はまったく違います。悪いことをしているのを分かってるから、話さないだけ。捜査員との癒着を疑いたくなりさえします。ずっと雲隠れしていたのに、家宅捜索を受けたらやっと会見をしたのは、この伝家の宝刀「捜査に支障が出るので話せない」を使えるようになったからに他ならない。

それだけではありません。裁判を起こされたことについてどう思うか、と聞かれても「訴状が届いていないので何も言えない」。誰が関与したのか、には「個人情報なのでお伝えできない」。いや、前者は「感想」を言えばいいし、後者は個人情報保護法とは関係ありません。こうした「逃げ方便」だけは増えていくんだな、これが。（2020/2/6）

だから「桜を見る会」は恥ずかしい

「桜を見る会」、本当にどうしようもない話です。あのイベント、中央の総理夫妻がももいろクローバーZと一緒に「ゼーット！」みたいなポーズを取ったり、参加した大勢の芸能人も嬉々としてブログやインスタグラムにその日の様子を公開したりする。

芸能人はさておき、間抜けなのが安倍首相の地元・山口からやってきた800人のミーハー軍団です。「功績」のある方が多い地域であるのでしょうけど（棒読み）、地元のツアー会社が「浅草観光」とか「東京スカイツリー観光」とか様々なオプションをつけて6万6000円〜8万7500円まで5つのコースがあったことが確認済みです。「明治神宮周辺」って地元民の散歩コースか。「NHKスタジオパーク」ってなんだよコレ。「どーもくん」がそんなに見たいのか。

以前、小渕優子氏の後援会が地元・群馬の支援者を引き連れて明治座で観劇し、その時の金額が政治資金規正法違反に問われた件がありました。結局小渕氏は閣僚を辞任し、元秘書が書類送検されています。この時小渕氏のスタッフはハードディスクをドリルで破壊して証拠隠滅を図り、ネット上では「ドリル優子」や「トリンドリル優子」といったあだ名がつけられました。あ、トリンドリルはタレントのトリンドル玲奈にかけてます。

いや、私なぞ、政治家の後援会に入ったこともないし友人が出馬した時を除き政治家の応援などしたことがありません。だからこそ「後援会」に入る気持ちがまったく分からない。何らかの優遇を受けてるんじゃないの、なんてゲスの勘繰りをしてしまいます。

この手の件で笑えるのが、「いい年した大人が集団行動をしている」滑稽さです。ツアーコンダクターが「こっちですよ～！」と旗を振り、そこにぞろぞろとついていく。例のニューオータニの「前夜祭」にしても大勢が寿司コーナーに殺到した結果、アッという間に空っぽになり、皿に唐揚げを山盛りにする人々がそこらで「ちょっと料理が足りないいね」なんて言ってる姿が想像できます。しかも3人1部屋のコースもあったそうですよ。

安倍氏の地元民も小渕氏の地元民も、完全に「俺(お)ら東京さ行ぐだ　2010年代版」で、こんな人々ってのが世の中にはいるのだな、日本は広いなとしみじみと思うのであります。

海外のツアー旅行でも、ベネチアやプラハのような石畳のお洒落な街で高齢者を中心とした日本人観光客が集団行動をしていますが、自分には絶対にこんなことはできない。旅の間ぐらい、自由に行動させてくれ。好きなもんを食わせてくれと思うのです。そもそも、集団行動は恥ずかしい。

しかしながら世の中にはタピオカ屋に大行列を作る人もいれば、2019年11月に行われた天皇陛下の即位を祝う「国民祭典」では、当日の朝3時から並ぶ人もいました。始発電車で到着した人たちも走って皇居まで向かったのです。

両陛下のパレードを見るために11万9000人が沿道を埋め尽くし、カメラのベストポジションを狙うべく早朝から場所取りをする。テレビの生中継の方がよっぽど鮮明に見えるんじゃないのなんて思う私は、東京五輪のチケット、もちろん1枚も当たりませんでした。（2019/12/5）

「NHKをぶっ壊す」の勝利

NHKから国民を守る党（N国）が、2019年7月の参院選で勝利を収めました。代表・立花孝志氏が比例区で議席を獲得したのです。選挙区に立候補した37名は全員落選です。ただ立花氏がこの7年間ほど訴え続けてきた「NHKをぶっ壊す」というワンイシューは、一部の人の心に刺さったということでしょう。

開票の結果、N国は公職選挙法と政党助成法上の政党要件を満たしたことも報じられました。同党に入れた人のことをバカ扱いするネットの声も多数ありましたが、今回の件は、いかにして人々の生活の実態に近いところで琴線に触れることを主張し続けるか、が重要であることを如実に示したのです。

同党の主張は「NHKをスクランブル放送化し、視聴を拒否できる自由を」というもの。そのうえで、立花氏が元職員の立場からいかにNHKが極悪な組織かを述べ、そんな組織に対し、望まぬ人はカネを払う必要はない、と説きました。

実はコレ、共産党をはじめとした野党が主張した「消費増税反対」と同じぐらい強いパワーを持った公約だったのかもしれません。

NHKの地上波を年間で契約した場合、1万4545円（継続振り込みの場合）で、衛星放送もセットにすると2万5320円（同）となります。これを消費税で考えてみると72万7250円と126万6000円を支払った際の増税分（2％）に相当するわけです。

NHKの受信料を負担だと思っている人や、NHK集金人の「ピンポーン」に居留守を使っている人、恫喝とも取れる置手紙を残された人などからしたら、NHKというのはストレスの源です。

「払わなくちゃいけないのは知ってるんだよ。でも、オレ、ＮＨＫ見ていないないし、お金ないし、あの人達と絶対に喋りたくないんだよ！」

こう思う人々がそれなりの人数いたからこそこのワンイシューは効果があった。イギリスのＥＵ離脱にしても、簡単に言えば、次のような主張が自分にとって切実だった人が大勢いたということでしょう。

「我が国は、我々ほど真面目に働いていないほかの〝お荷物国〟のために多額のカネを払ってやっている。しかもそうした国から来た連中に我々は職を奪われている！　ＥＵから離脱すれば、両方がなくなり、我が国にとってはメリットだけだ！」

ここには一部誤りがあったりもするのですが、これは刺さった。

２００５年の「郵政民営化選挙」も、「非効率の塊であるあの役所機構を民営化したら日本経済はバラ色です！」と小泉純一郎氏がやったら見事自民党が圧勝。

ただしワンイシューでも、東日本大震災以降、毎度上がる「脱原発」は別です。これを掲げて国政選挙で勝った政党はない。２０１４年の都知事選では、郵政民営化選挙の主役・小泉元総理が細川護熙氏を担ぎ「原発即ゼロ」を訴えましたが惨敗。東京都民にとってはそこまで切実ではなかったのでしょう。

となれば、これから国政選挙を目指す人は「NHKとの契約選択制」を見習い、次のような党を作れば1人ぐらいは比例で国政に送り込めるかもしれません。

（1）肥満優遇党
（2）呑兵衛天国党
（3）自動車保有者はエライ党
（4）残業拒否党
（5）子持ち家庭こそ立派党
（6）童貞差別禁止党
（7）レジャー消費支援党

私のような酒好きは（2）の「呑兵衛天国党」ならば、「我々酒税を大量に払ってい

る者を優遇しろ！」と入党するかもしれません。（2019/8/8）

ヨッパライ議員の心境を代弁すると

2019年5月、国後島を訪問した丸山穂高衆議院議員が、北方領土は「戦争しないとどうしようもなくないですか」と発言、大きな問題になりました。丸山議員は日本維新の会を除名されます。さらに松井一郎代表（大阪市長）が、ツイッターに「丸山君、アルコール依存症は精神的なダメージがあると聞いていたので!!」と書き、丸山氏がこれに反発する一件がありました。同氏がアルコール依存症かどうかは分かりませんが、酒好きではあるでしょう。

ネットでは酒飲みは嫌われる傾向にありますが、酒飲みの一員として私がその心境というものを代弁してみます。

まず、口の中に液体を入れるのであれば、酒でなくては損だ、という感覚があります。さらに、酒ではなく水や麦茶を飲む時も「この水分がアルコールの排出を助けてくれるのだ。そのために予め水分を入れておこう」というモチベーションが働くのです。

なにかと理由をつけては酒が飲めるぞと歌う『日本全国酒飲み音頭』では、1月は正月だから、2月は豆まきだから、以後ひな祭り、花見、こどもの日、田植え、七夕、暑いから、台風、運動会、何でもないけど、ドサクサ——と酒を飲む理由を列挙していきます。いや、まさにコレなんですよ。

久しぶりに友人と会ったから酒が飲めるぞ。ちょっとボーナスが入ったから酒が飲めるぞ。雨が降って外に行けなくてつまらないから酒を飲むぞ、とかなんでもかんでも酒を飲む正当性にしてしまう。せっかくこんなにおいしそうに牛タンが焼けたんだから、ここはビールを飲まなくては損だとか、新幹線に乗ったんだからビールを飲まないとマズいでしょう、みたいな考えもあります。

じつは酒を飲むことの罪悪感があり、飲んでもロクなことがないのが分かっているから何でも正当化したくなるのです。丸山氏のように暴言を吐くこともあれば、記憶を飛ばしてしまったりと、過度な飲酒はロクな結果をもたらしません。滑って転んでケガをしたりもする。何よりも周囲に迷惑をかけてしまいます。

先日、ウェブメディア界隈の人々が集結する飲み会があり、全員が酔っ払ってとにかく楽しかった。隣の席の女性二人組が帰り際に「うるさいなぁ～」と言っているのが聞こえました。この指摘でようやく「オレらうるさかったみたいだぞ……。声を抑えよう」となりました。それほどだったことに、誰も気づかなかったのです。

酔っ払い同士で結界でも作ったかのようになり、その結界の中では何をしてもいい、といった空気が醸成されていました。今回は全員が酔っ払っていましたが、グループの中に冷静な人や下戸の人がいるとそこで〝衝突〟が発生します。

「戦争発言」の録音を聞くと、丸山氏の発言のすぐあとに「戦争なんて言葉は使いたくない」と返答した訪問団団長の大塚小弥太氏の冷静さが際立ちます。

丸山氏は以前、飲み屋で酔っ払った時に、店の外で男性とトラブルになり手に嚙みついたことがあります。その時は、「議員在職中は断酒をする」と宣言しましたが、まぁ、酒が好きなのであればそんな宣言はしないでいい。あくまでも、自分がおかしくなる一歩手前の量を把握し、そこでストップすればいいのです。って、できてない私が言うのもなんですが。

とはいえ丸山議員は酒のことばかり報道されており、肝心の仕事はやっているのか。その後「ＮＨＫから国民を守る党」に入党、副党首に就任しているそうですが。

(2019/6/6)

職務質問の思い出と「無料セコム」

予備校に通っていた頃、小論文の講師からこう聞かされていました。

「天皇制は平等の精神に反する」

「警察権力は敵だ」

大学に入ってからも活動家あがりのオッサンから「大学の中に警察が入ることは断固として許せない。国家権力は自治の権化たる大学に入り込むな」と、その革命思想を刷り込まれてきました。

若い頃は「その通りだ！」なんて思っていたのですが、今は天皇家に対しても警察に対しても何も異議を唱える気はありません。洗脳が解けたのかな、と思います。

もっとも、32歳ぐらいまでは「警察は権力の犬」「警察は監視機能をもった暴力装置」みたいなことを考えていたので、警官を勝手に敵視していました。だから、朝まで飲んだ後、酔っ払って歩いている時に警官と目が合い、ササッと方向を変えて逃げたこともある。

早歩きで逃げたら警官2人は走って私を追いかけてくるではありませんか。

「止まりなさい！」と言われ、そこから職務質問開始です。

「なんでオレに職質するんですか？」

「突然目を逸らし、逃げたからです。やましいことがあるのでは、と思ったのです」

「別に、この職質に協力しないでもいいんですよね。こういうのはあくまでも任意ですよね？」

完全に警察を権力の犬・市民生活を脅かす害悪扱いした中2病的発言です。しかも「弁護士が来るまで黙秘します」なんて、弁護士の知り合いがいないにもかかわらず言う始末。

「ダンナさん、協力していただけませんか？　荷物を見せていただけませんでしょうか」

警官がこう懐柔策を取ってきたので、ブスッとしながらリュックを渡しました。すると、リュックの後ろにあるポケットからティッシュペーパーにくるまれた「何か」が見つかりました。警官たちに緊張が走ります。

「コレ、何ですか？　開けていいですか？」

「どうぞ、勝手にやってください」

ティッシュを開けたところ、警官は「うわっ!」と言い、その包みを地面に落としてしまうではありませんか。一体何が入っていたのかといえば、一次会で行った店で注文した「イナゴの佃煮」だったのです。

警官は、ティッシュの中に大麻か覚醒剤でも隠していると思ったのかもしれません。しかし、出てきたのはまさかの虫です。大麻や覚醒剤だったら取り乱さなかっただろうに、イナゴ如きにギョーテンし、動揺のあまり路上に放り出してしまった。こうなったら私もすかさず反撃です。

「帰ったらこのイナゴでお茶漬けを作ろうと思っていたんですよ。これ、注文した分の残りの220円分ぐらいなんですが、弁償してもらえます?」なんてことを言ったら警官は「申し訳ありません」と言う。こちらとしては職質から逃れたかっただけなので、これにて無罪放免でサンキューという感じです。

そんなふうにほんの13年前まで警察を敵視していた私ですが、今は彼らに感謝しています。何せ今のオフィスは安倍首相の私邸近くにあるため、警官がそこかしこに立っている。まさに「無料セコム」状態で、安心な日々を送っているのでした。(2019/7/4)

第3章　つくづくメディアはマゾ気質

ウイルス禍が生んだ「アイドル」専門家

新型コロナウイルス報道でもっとも有名になったのは、白鷗大学の感染症の専門家・岡田晴恵教授でしょう。テレビで見ない日がないほどの八面六臂の活躍ぶりで、朝にテレビ朝日で見たと思えば午後はＴＢＳに登場している。

私など「この手のものは１回専門家として出演したら３～７万円だな。パネルづくりの事前打ち合わせで拘束されたらその分も請求できるな。これが１ヶ月続いたら（ゴクリ）○○万円は稼いでるんじゃねえの！」とゲスの勘繰りをしてしまいます。

岡田さんが引っ張りだこになるのは分かる。何しろズバリと答えを言ってくれるのです。「重点地域を決めて各自治体主導で検査・治療をすべきです」といった感じです。

コロナ発生の当初は、2003年のSARS対策に当たった感染症専門家の尾身茂氏(2020年2月から新型コロナウイルス感染症対策専門家会議の副座長に)がよくテレビに出ていましたが、この人が喋ると他の出演者がイライラし始める。

「ならば、感染しないためには、ズバリ我々は何をすればいいのですか!」

と迫ったところで、

「ンまぁ〜、人によってそれは異なるわけで、その人が置かれた環境により対策は違うわけであり、状況の推移を見守り、適切に対処していくべきです」

常にこんな調子で、結論を言わないのです。もちろん、人の命にかかわることだから、断定をするのは乱暴ですし、状況が分からないにもかかわらず提言をすることの危険性はあります。この方は長年研究してきたからこそ慎重に発言するし、感染症対策が一筋縄ではいかないからこそのこの話法です。そこは理解します。

しかし、テレビというものは「じゃあどうすればいいの! バシッと一言でお願いします!」と、一番に断定を求められます。

一方、岡田さんは慎重に喋りながらも、「という場合もある」「○○の方がいいですよね」と「半断定」「選択肢提示」的な話し方をしてくれる。極端な断定を求められたら

「だから」や「ですから」と遮り、「もぅ、これだから素人はダメなのよ。答えを早く求めすぎるし、さっきそのことは説明したじゃないの」のような苛立ちも視聴者に伝える。だからこそテレビ各局からオファーが殺到するのでしょう。

そして、出演が多いことについては「大学が春休みだから出られてるんですよ（私、本業あるんですからね）」的に呆れたように言う。いや、その後も出まくってるでしょうよ（笑）。

そして、岡田さんウオッチャーからすると、彼女がどんどん業界人風になっていく様が気になって仕方がない。業界人風というか「テレビ慣れしてきた」とでもいうのか、朝と昼の番組でメガネが変わっていたり、突然髪の毛が赤っぽくなったり、服装がオシャレになったりするのです。

コメンテーターとして登場しつつ、新たなテレビタレントの成長を日々見ている気持ちにさせる岡田さん。２０１９年の「テレビ番組出演本数ランキング」は、オビ番組を持つＴＯＫＩＯ国分太一の６０４本が最高でしたが、岡田さんも「５００本」とかになるかもしれません。

社会の安寧のためには、そうならないことを願っていますが。（2020/3/12）

（＊その後も注目を集め続けた岡田さんは「コロナの女王」の異名もついた。ＴＢＳ系の日曜日の情報番組『アッコにおまかせ！』に出演（２０２０年3月15日）、スタジオで撮った集合写真が和田アキ子氏のインスタグラムで公開されたあたりから風向きが変わる。その後「週刊文春」は岡田氏の国立感染症研究所勤務時代の論文に「データ捏造疑惑」があることを報じた）

言いたいことを何でも言える反町氏

「モヤモヤする言葉遣い」は、気にし始めると止まらなくなるものです。私が最近気になって仕方がないのは、『ＢＳフジ ＬＩＶＥ プライムニュース』に出演するフジテレビ報道局解説委員長・反町理（おさむ）氏です。

この番組は、地上波がバカなバラエティだらけの20時台にオンエアされる貴重な報道番組で、とても重宝しています。もちろん放送時間だけでなく、反町氏による政治家や専門家への的確なツッコミと批判もなかなかに痛快なのです。

しかし、彼の言葉遣いというか口癖が、もう気になりまくってなりません。

そもそも反町氏、韓国の国会議長だった文喜相氏に似ています。もっと似ていると思うのは、ノーベル製菓のキャラクター「男梅蔵」。

ということで、彼がテレビに登場すると「おっ、男梅が出た！」とテンションがあがりますが、問題はここから。共演者の発言に対して、反町氏がシニカルな表情を浮かべ、「なるほど〜」と言うのがモヤモヤの始まりです。

「お前、今まったく納得してねぇだろ！　本音では、『この嘘つき野郎』とか言いたいんじゃねーの？」

と、私は心の中で叫んでしまいます。

さらに反町氏、人が喋っている時に「うん、うん、うん」と言い続ける癖もある。まず、「うん」じゃなくて「はい」だろう！　と思うとともに、なんでそんなに「うん」と言い続けるの？　これをビジネス上の会議でやったら絶対にウザいヤツだと思われるよ、なんて心配までしてしまう。

会議で喋っていて、相手に「うん」を連続で言わ

れるとムカつくものです。まるで「その話いいからオレに喋らせろ！」と言われているように感じますから。それを反町氏は公共の電波で容赦なくやる。

私はこれまでに何度もラジオに出演した経験がありますが、初めの頃ディレクターから注意されたのが、「相槌を言葉で発しないでください」ということです。

普段の会話であれば、適度に相槌を打つほうがコミュニケーションはスムーズにいきます。でも、ラジオのリスナーからすれば、それは耳障りなノイズになる。話の本筋と関係ない言葉は不要なのです。そこで、「同意している場合は喋っている人を見ながら頷くだけでいいです」と指導されたのです。

それ以後、ラジオに出る時は一切合いの手を入れないようにしています。

時々テレビやラジオに出る私のようなへっぽこ編集者は、こうして「いかに先方から嫌われないか」を考え、言動に気を使いますが、一方で、さすが天下のフジテレビ社員・反町氏。相手が誰であろうと「なるほど」「なるほど」「うん、うん、うん」。

今では反町氏がどのように「なるほど」「うん、うん、うん」を使用するのかを学び、ムカつく人間との打ち合わせの時に相手をイラッとさせるための準備をしています。

さらに、家人との会話の中でも、相手をおちょくる時に「なるほど」「うん、うん、うん」を繰り出す。すると「むかつく！」とただちに返ってきます。もちろんこれは、反町氏のことを互いに知っているからこそ成立する遊びですが。

相手をイラつかせる話法を学びたい方は、ぜひともこの番組をご覧ください。（2020/4/9）

いちいち「外国様」を使って報じるな

つくづく日本のメディアはマゾ気質だと思います。逃亡したカルロス・ゴーン氏は「日本の司法制度はおかしい」と世界に向けて主張していますが、確かにおかしいです。だって逃亡できるだけの財力とコネを持った人を保釈したのですから。

ただ、もっと変なのは、日本のメディアが「世界のメディアが日本の司法を批判している」という意見をこれでもかとばかりに報じ続けるところです。

自分がおかしいと思うのならば、自分で批判すればいいのに、「外国様」を使って叩く。

そして、自虐的メディアがもっとも好むのがおフランス様です。「シェー！」で知られるイヤミ氏がかつて滞在していたという格式高い国でありますが、かの国のメディアは、東洋の島国である日本が彼らをどう報じているか、なんてわざわざ取り上げないでしょう。

それなのに日本メディアはいちいち気にし過ぎている。ゴーン氏の逮捕直後は仏メディアも日本批判とゴーン氏擁護をしていましたが、その時も日本メディアは「フランスでは……」「世界では……」とやりました。

でもさすがにその後、おフランス様はあまりゴーン氏を擁護していません。何しろ同国では、燃料税の引き上げから庶民が金持ちへの怒りを爆発させ、「黄色いベスト運動」というか「暴動」を起こしていましたから。

その後は年金改革をめぐり80万人ともされるデモも発生。公共交通機関が軒並み運休し、警官隊との衝突や器物破損行為により、71人が逮捕なんて事態にもなっています。野蛮な国だな。ラジオ局の取材に答えた鉄道の運転士は「元々50歳で退職できる契約を結んだ」と言っていましたが、その後他の人と同様に52歳6ヶ月に延び、さらに「満額もらうためには57歳半まで働くことになった」と不満をこぼします。

ケッ、甘っちょろい。こちとら日本人は75歳まで満額にならない可能性があるんだぜと言いたくなりますが、これがフランスの実態なワケです。

レディーファーストしかり、電車で席を譲る人々しかり、日本人がしきりと礼賛する外国人というのは、キチンとした教育を受け、高収入で余裕ある人々です。海外在住者のツイッターを見ると、いかに粗雑なヤツが多いかが分かります。世界のバカが投稿する動画なんて本当にロクなもんじゃない。私も散々がさつで小ずるくて暴力的なアメリカ人を同国に住んでいた中高時代から見てきました。

それにしても日本の捕鯨やら死刑制度やらへの批判、外国はいちいちうるさい。フランスなんてガチョウに無理矢理餌を食わせて脂肪肝にしたフォアグラを「セ・ボーン！」とか言いながら食い、トラック突撃テロやら同時多発テロが発生して多数の死亡者が出たり、刃物男が大暴れしたら警察が射殺する。日本では「さすまた」などで取り押さえた後に「逮捕」→「起訴」→「裁判」→「確定判決」を経て「死刑」になる。こっちの方が人権重視じゃないですか。

どうせ我々が「射殺は非人道的」と言っても、フランスは「我が国のやり方だ」としか言わないんだから、我々も司法制度やら食文化には「我が国のやり方だ」とだけ答えればいいし、マゾメディアは海外の声ばっかり報じないでくれ。（2020/1/23）

漁業組合〝婦人部〟の人間模様

情報番組で、よく漁港からのロケをやりますが、画面の中の人間関係を勝手に想像するのが好きです。漁協に協力してもらい、その地域の名産であるタイやカニやフグやブリが登場します。刺身にしたり、焼いたり揚げたり、炊き込みご飯にしたりと様々なバリエーションを紹介しますが、ここに欠かせないのが漁協の〝婦人部〟に所属しているであろう中高年女性達です。

この人達が揃いのエプロンで、ロケにきた芸能人の周囲に立っているのですが、この中の「ボス」的女性が誰なのかは一瞬で分かります。まず、その他の女性達は全員「取り巻き」風の自信がなさそうな愛想笑いと佇まいを見せている。ボスは芸能人の隣にいるからすぐ分かる。恐らく「組合長」みたいな男性の妻なのでしょう。

この光景を見る度に、「このボスからいつも細かいことを命令されて小間使いのように動いてるんだろうな～」と取り巻き達の日常を思ってしまうのです。ただこれって、東京のオシャレカフェのランチタイムでママ友達が集まっていても同じに見えます。

窓側のソファー４人、椅子４人みたいな８人がけのテーブルに８人のママがいた場合、ソファーの中央で会話をリードしている人がこの中のボスです。その両隣の人が副ボスみたいな感じで、ボスにはタメ口で何かを言っている。他のママ達は愛想笑いを浮かべながら大袈裟に首を縦に振って頷き続ける。これ、ボスと副ボス以外は楽しいのか？

漁港の女ボスの話に戻りますが、ああした取材依頼がテレビ局から来ると、こんな展開になることが予想されます。

「今回、テレビ○○からロケの依頼が来ました。我が漁協としては絶品のブリを出してバッチリ決めたいのですが、誰に料理していただきますかね」

まずは組合長がこう切り出します。するとすかさず「いやぁ、ここは組合長の奥様でしょ！」「私もそう思います！」となる。組合長はこれを「当然だよな」と思いつつ「う〜ん、我が妻にそんな大役を担わせていいのでしょうか」と謙遜を装うも、「賛成多数」で結局は妻・アケミがその大役を担うわけですね。

かくしてアケミさんとその子分である女性達は組合の〝婦人部〟の会合で何を振る舞うかの打ち合わせをしたりリハーサルをしたりして当日を迎えるわけです。「そしたら武田さん、あなたがアケミさんの後ろに立ってください」「いえいえ吉田さん、あなたこそ後ろへ」なんてやり取りがあったうえで、本番の立ち位置やら芸能人Aに誰が最初の一品を出すか、といったことが決められていく。

本番でリーダーたるアケミは、常に中央にいて芸能人Aの相手をし続ける。そして最後は「せーの」の掛け声で、「○○漁港に来てください‼　お待ちしてまーす！」と皆で声を合わせます。

これを見るにつけ、集団行動が嫌いな私は「よくこんなことやるよな」と思うとともに、取り巻き女性たちが家に帰った後、夫にどんな愚痴をこぼすかを想像してニヤついてしまうのです。（2020/3/26）

婚約問題、本当はこう言いたいんでしょ？

眞子さまの婚約内定者・小室圭さんに対する報道やメディアの取り上げ方を見ると、

モヤモヤします。「猛烈に叩きたいけど、奥歯にモノが挟まった感じでソフトに違和感を表明する」という空気がとにかく漂っているからです。

本当はこう言いたいんでしょ？

「母親と元婚約者の間の400万円の金銭問題について解決できてないのに、3年間も日本を離れて留学って、その間眞子さまどうするの？　人生で重要な若い頃の3年間、ほったらかしでいいの？　というか、貴方のために税金から結婚の際の一時金1億5000万円程を使ったり、現在でも実家の警護費用使うの、抵抗あるんですけど……。あと、超絶優秀な人しかもらえない『学費免除』をもらうって、法学部出ていないのにどーいうこと？　せめて東大法学部を首席で卒業し、日本の弁護士資格も持っているなんて人であれば、そこそこ信用できるけど、そうじゃないのにあの奨学金をもらえるって皇室を利用していません？」

小室さんの初登場時、若干「えっ？」的な声はあったものの、基本的には日本中が祝福ムードに包まれました。眞子さまのお写真をケータイの待ち受け画面にしていたという渋谷駅前の男子大学生が、テレビの取材に対し、ショックを受けつつも親指を上げ、「でも幸せならOKです」と男気を見せて話題になる、といった余波もありました。

あの時も、一部の人は小室さんに対して「う～ん、なんか違うんだよな、この人……」といった感覚を持っていたでしょう。一言で言うと「らしくない」。

紀宮さまこと黒田清子さんの夫である黒田慶樹さんは初登場時、東京都職員で、寝癖がお茶目な「朴訥で真面目な人」的イメージで歓迎ムード一色でした。

しかし、小室さんが出てきた時は、茶髪写真が発掘されたり「海の王子」に選ばれた過去などもあったりと、「この人が将来の天皇の義理の兄に？」と思った人もいたのでは。「オッ、オォ……（沈黙）」みたいな。いや、茶髪も海の王子もいいのですが。

その後は銀行を辞め、法律事務所でパラリーガルとして働き、その間に一橋大学の院に通う。婚約内定会見があったと思ったら図太い母ちゃんが登場して、批判報道が出ると米のロースクールに超優遇状態で入るアクロバティックさを見せつけました。

正直、私など「一橋の国際企業戦略研究科」の時点で「ハッ？」と思いました。経営法務コースとはいえ商学部系なのに、なぜ法律事務所に勤め、ロースクールに行くのだ、と。

昨今の国立大学の院は、正直「学歴ロンダリング」に利用されている感があります。内部から院に進学した人たちの、「あいつらとオレらを一緒にしないでくれ」という声は時々聞きます。いや、「ＩＣＵ→米ロースクール」でいいのになぜわざわざ一橋の商学部系院を挟んだのか？

小室さんの「世渡り上手感」と、皇室という日本最大の権威を得た「勝ち組感」が、凡百の庶民からすれば「チクショー、うまいことやりやがって！」と嫉妬に繋がり、妙な論調の報道になっているのではないでしょうか。これで彼がアメリカの司法試験に合格したら、完全にゲスの遠吠えですが。（2019/5/2・9）

「くら寿司」はテレビ局を訴えるべき

くら寿司のバイトが、一度ゴミ箱に捨てた魚を組板に戻した様子を撮影した動画をネットに投稿し炎上した件で、同社は彼らへの法的措置を取ることを明らかにしました。これに国際弁護士の八代英輝氏がＴＢＳ系の情報番組『ひるおび！』で、動画を拡散した当事者全員の責任も追及すべきだと発言しました。何十万人もの人間の責任をどうやって追及するのでしょうか。というか、同番組こそ、何度もご丁寧に動画で紹介し、大拡散しているではありませんか！

地上波の民放テレビは、未だに最強の影響力を持つメディアです。バカッターのフォロワーを追跡するよりも、この騒動をしきりと流した日テレ、ＴＢＳ、フジ、テレ朝に責任追及をする方が手っ取り早い。しかもくら寿司は、こうした局にＣＭを大量出稿しているから、担当広告代理店を通じ「責任を取って下さい」とやりやすい立場にいます。

裁判や責任追及をする場合は、最も攻めやすく、最も大きなリターンが得られるであろうところからやるのが合理的。フォロワーの匿名ＩＤから本名、居住地を突き止めるには手間もカネもかかり、突き止めたとしても貯金ゼロだった場合、骨折り損のくたびれ儲けです。

一方、広告主であれば、民放各局に対しては、広告代理店に「ちょっとテレビ局の○○にこの手紙渡しといて」と言えば済む話です。

広告が容易に入らない昨今、力関係は次の構造になっています。

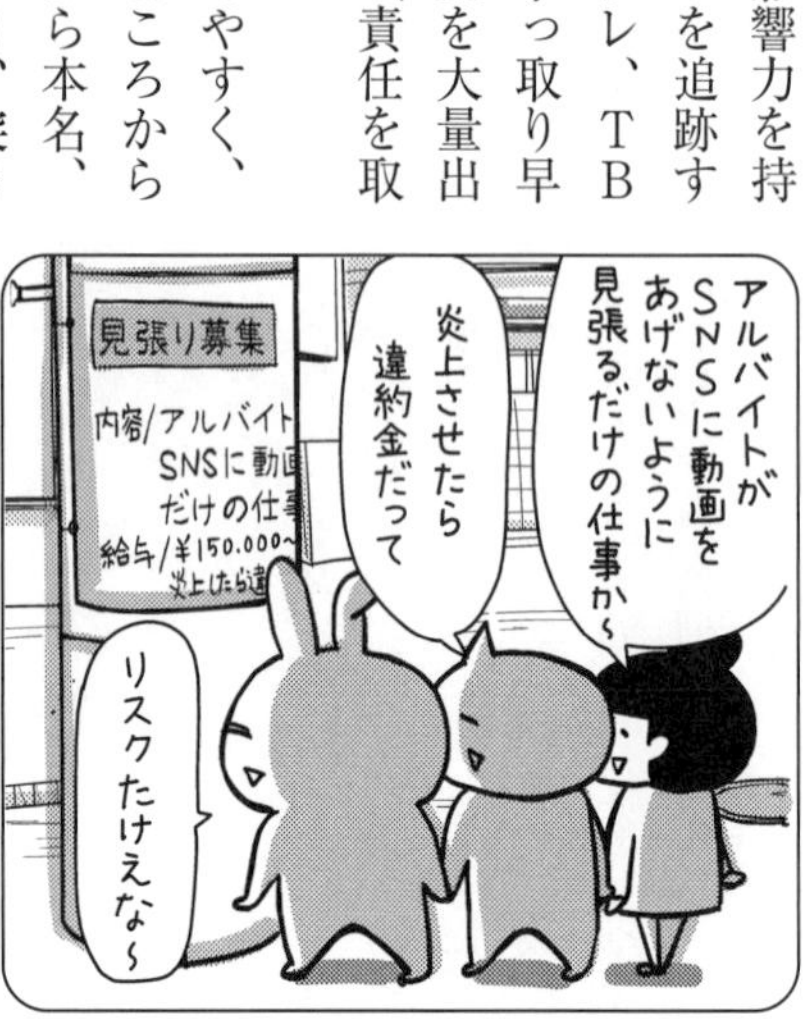

「広告主」＞＞＞＞＞＞「代理店」＞「テレビ局」

代理店からすれば、年間何十億もの売り上げをもたらしてくれる大得意様がお怒りなのであれば、従わざるを得ません。私なら、今回バカッターの被害に遭い、テレビ局に勝手に拡散された広告主には次のように交渉することを勧めます。八代氏が発言をしたＴＢＳがまずは対象でしょう。

「先日、八代氏が『拡散させた当事者全員にも責任追及を』と仰いました。当方が××モニター社に依頼したところ、御社は○月○日から○月○日にかけ、○回、合計○時間○分○秒当社の『バカッター騒動』を取り上げました。

この間の平均視聴率は○％で、○○○○万人にリーチしたと推測できます。さらに、当社は同期間中、合計○○○ＧＲＰ（延べ視聴率）の広告を出稿しており、○○○円払っておりますが、御社の拡散により、その効果も薄れてしまいました。その数値は今後計算しますが、一度当方の試算を基に、賠償に向けた話し合いの場を設けさせて下さい。

拒否される場合は、法的措置も辞さない所存です」

八代氏の発言があまりにも非現実的だから、こんな大人げないことを真面目に書いたのですが、その発言に則るのならこうなります。ええ、私もこうして拡散しておりますので、その対象となります。

もう一つ、テレビに流れるネット発の動画は、許可を得ている場合「視聴者提供」のクレジットが出ますが、「バカッター動画」では出ません。もし許可を取っていないないなら著作権者であるバカッターの皆様はテレビ局に対して使用料を請求する権利があります。

これから裁判になるバカッターの方もいるでしょうから、弁護士費用稼ぎのためにも、モニター会社に依頼し、使用回数・時間を局ごとに算出し、請求交渉をするのも手です。

(2019/2/28)

嵐「活動休止」でここまでの各局横並び

アイドルグループの嵐が２０２０年末で活動休止すると発表したのは２０１９年1月でした。その翌朝の民放テレビの横並びぶりと言ったら、実に清々しいほど。日本テレビ、ＴＢＳ、フジテレビ、テレビ朝日の8時からの情報番組すべてで、トップの話題は当然、嵐だったのです。

日テレは2時間25分、それ以外は約2時間の番組で、その日、どんな流れを辿ったかをメモしておいたのが左です。

【日テレ】8時～8時54分（会見の様子＋過去映像）↓スタジオへ　9時04分終了
【ＴＢＳ】8時～8時35分（同）↓スタジオへ　9時07分終了
【フジ】8時～8時53分（同）↓スタジオへ　9時17分終了
【テレ朝】8時～8時38分（同）↓スタジオへ　8時49分終了

ＴＢＳ『ビビット』の場合は、キャスターにジャニーズ事務所の先輩・国分太一という事情通がいるだけに、少し深みのある話に感じられました。フジ『とくダネ！』は、小倉智昭氏と伊藤利尋アナが過去に何度も嵐と共演していることから、その仲の良さをアピールするなど、各局「ワシらこそ嵐と関係が深い！」合戦に終始します。『VS嵐』を放送するフジと『嵐にしやがれ』の日テレは秘蔵映像出しまくりで対抗。テレ朝は『ミュージックステーション』出演時の様子を必死に繰り出すも、流れる曲は、デビュー曲以外聴いたことがない……。

嵐以外のネタはないのかと、いくらチャンネルを変えても嵐ばかり。途中から「こりゃ、何時何分までこいつらが嵐の話をするか原稿に書くか」と先述のメモを取り始めたものの、ついに8時台前半は、初めてNHK朝ドラ『まんぷく』を見てしまいました。

ようやく9時17分に「ワシらが一番嵐と仲がいいんだもんね。活動休止直前には生出演してもらって特番やるべく今からツバつけとくんだからね」的姿勢がプンプン漂ってくるフジも終了しました。

ただしここから、さらに民放4局は華麗な連係プレイを見せます。次に全局が放送したのは、大坂なおみが全豪オープンで優勝したことと世界ランク1位になった件。ここまで来ると本当にお見事！

いや、この4つの中で、抜け駆けを仕掛けようとする局はなかったのか。さすがに最初は嵐の件にせざるを得ませんが、3分ほどこの話題の要点だけを伝え、「また後ほど詳しくお伝えします」として、前日まではトップにすることが決まっていたであろう大坂なおみの話題を先に持ってくる。

8時から8時49分までは全局が嵐の話題を放送していたわけで、全国で何百万人もの人がザッピングをしながら「まだやってるよ！」なんて言っていたであろうことが想像できます。別に全国民が嵐ファンなわけもなく、彼らのコメントを全部知りたいわけでもないし、過去の映像が見たいわけでもない。そんな時、1局だけが大坂なおみをやっていれば、ガッポリと視聴率確保できたのでは、なんて思うのです。

そして、別の話題を挟んで9時15分くらいから嵐のことをやれば、この時間にようやくテレビを見られる人や、嵐のことをまだ見たい人、テニスに興味がない人を取り込めたし、他局の番組を見た上でのネットの反応や疑問を踏まえた内容を提供できたかもしれないのに、実にもったいない。(2019/2/14)

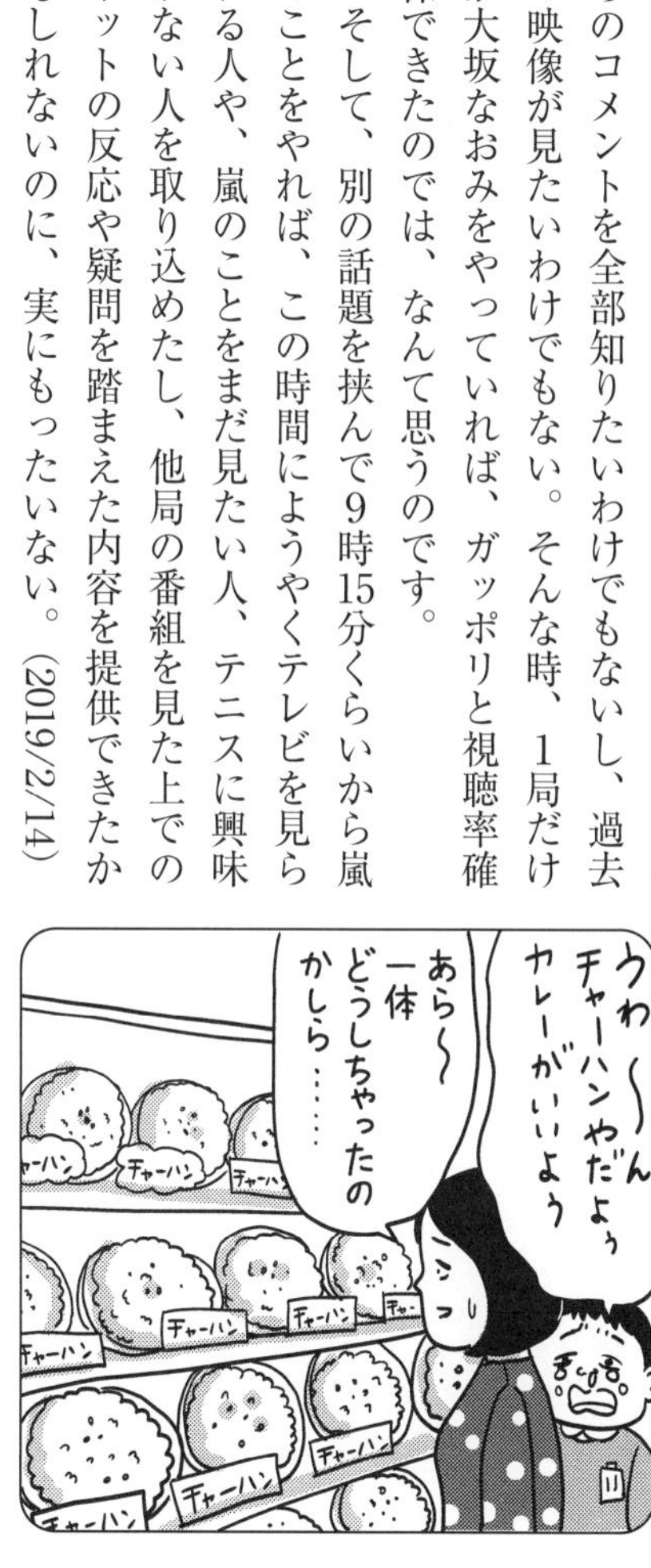

（＊コロナ禍で、嵐のコンサートツアー、そしてナビゲーターを務めるはずだった五輪も吹き飛びました。であれば活動休止も延期になるのでしょうか。何らかの情報が出るタイミングで、また清々しいほどの各局横並びが見られることでしょう）

日本人をダメにする「視聴率民主主義」

「視聴率民主主義」という言葉をふと思いつきました。テレビが扱うものによって、世の中の怒りや称賛の空気は作られる、ということです。テレビは、視聴率が取れると判断できたらその話題を連日のように流し続ける。

人間、テレビで何度も見たものを最重要案件だと思い込んでしまいがちです。最近では「モリカケ問題」「日大悪質タックル」「紀州のドン・ファン」「桜を見る会」……。「まだやってるの」なんて口に出しながらも、だらだらと見続け、これらのテーマに妙に詳しくなってしまう。詳しくなるのは案外危険で、善悪の判断をテレビに委ねてしまうことになる。

日大の件では、「日大のオッサンは悪い」「関学のオッサンはエライ」「タックルを謝罪した選手は立派」「日大はクソ組織かつゼニゲバ」といったイメージもつきました。

現実に発生しているできごとも、勧善懲悪の「水戸黄門」のごとく裁いてしまうのがテレビの持つ破壊力です。キャラ立ちした人物ばかりが何度も取り上げられ、善玉と悪玉に分けられる。視聴者の人生や教養にとって重要かという観点はなく、とにかく面白い人が出続け、社会の空気を作ってしまうのです。

時にその人物を社会的に抹殺することも厭わない。「近年のテレビを彩ったスター七人衆」を振り返ってみましょう。

・「社員は悪くありませんから！」で号泣の山一證券・野澤正平元社長
・「私は寝てないいんだ！」と逆ギレの雪印乳業・石川哲郎元社長
・ささやき女将こと船場吉兆・湯木佐知子氏
・布団を叩きながら「引っ越し、引っ越し、今すぐ引っ越し、しばくぞ！」と叫ぶ騒音おばさん
・「世の中をガエダィ！」と号泣した元兵庫県議・野々村竜太郎氏
・「ＳＴＡＰ細胞はあります！」小保方晴子氏

・現代のベートーベン、ゴーストライター騒動の佐村河内守氏

さすがに山一と雪印ほどの重大案件は大きく取り上げる必要がありますが、結局「号泣の野澤氏」「キレる石川氏」ということしか覚えていない人が大半なのではないでしょうか。その他については、いずれもあそこまで連日取り上げるべき話題ではない。

恐ろしいのは、テレビは政治についても「面白い人かどうか」「視聴率が取れるか」という観点で放送することがあまりにも多く、「劇場型」にしてしまう点です。これは昨今の「政権交代」や「選挙」にも言えることでしょう。これらの結果は、毎日のテレビが作る「空気」の通りになりました。そもそも、都知事選や都議選、都知事の定例会見なんて全国放送する必要はない。

選挙の応援も同様です。蓮舫氏や小泉進次郎氏みたいな仕事できる風美男美女がテレビに登場しまくり全国的知名度を獲得したら、選挙応援人として全国行脚をする。有権者も「テレビで見るよりイケメン／美女よねぇ」なんて本人に言ったりして、完全にスター扱いです。

「視聴率民主主義」、けっこう日本人を腑抜けバカにしていると思います。（2018/6/28）

成功者が世の中を嘆く、妙なビジネス

なぜマスメディアはここまで危機を煽るのが好きなのか。『サンデーモーニング』（TBS系）が象徴的なのですが、年始スペシャルのテーマが「特集・揺らぐ世界〜この時代の変わり目に〜」で、内容は「格差」「差別」「核」「分断」「対立」「ファシスト」「科学技術の進歩で人間は幸せになれるか」と、とにかく暗い。

放送日はお正月気分が若干残っている段階で、地元の友達と楽しんだり、家族が集まって嬉しかったという人が多いにもかかわらず、危機感ばかり煽る。お前達は「暗黒時代メーカー」かよと思います。

そして、コメンテーターの方々も悲観的なことばかり言う。同番組には時々知り合いも出ているのですが、彼らと実際に会っているとそれほど悲観的なことは言わないし、酒を飲んだらガハハハと大笑いします。でも、番組に登場すると悲観的になり、いかにこの世がダメかを嘆く。

各メディアの論調をここで一旦振り返りましょう。女性誌は基本的には明るいことしか書かない。「エミのウキウキ新春30日コーデ！」とかでモテモテ女が毎日服をとっかえひっかえし、華やかな都会の生活を満喫している。お前の給料でそれだけの服を買えるかよ!! とツッコみたくなる。阪神タイガース御用達のデイリースポーツはどう考えても今年は弱いだろうよ、という状況であろうとも「今年もイケるで！ 猛虎打線復活や！」みたいな論調。週刊誌は「誰かさっさと不祥事起こせ、オラ」というスタンスで、他人の不幸を望んでいる。これらについては「人間の本音をえぐっていていいね」と思うのです。

そんな中でテレビと一般紙、何をお前達は嘆いてばかりなんだ。コメンテーターにしても、民放キー局の番組から選ばれるほど活躍している人だから、人生に対して悲観的であるべきでない方々です。完全に勝ち組です。それなのに、眉間に皺を寄せて世界を嘆く。

今、日本に住んでいる「識者」の中で悲惨な人生を送っている方がどれだけいるのでしょうか。親の介護とか育児とか離婚調停とかで大変な人はいるでしょうが、世間一般からすれば間違いなく恵まれた環境にいる。

それなのに世の中を悲観しなくてはいけないというのは、実に皮肉です。「成功者が世の中を嘆く」という妙なビジネスモデルが新聞・テレビの世界なのです。果たしてこれが本当に困っている人の共感を呼ぶか？　という視点に、今こそ立った方がいい。あなた達がやるべきは、世界を嘆くことではなく、その成功体験を人々に広めることではなかろうか。

こう言ってしまうと「我々は問題点を炙り出し、それに対して警鐘を鳴らし、社会を良くしたいのだ」みたいな反論が来ますが、お前達は格差や貧困を嘆きつつも、高額のギャラをもらい、明るい未来を示さず、解決にもならない「抜本的対策が必要ですね」みたいなことを言うばかりじゃないか。

もはやコメンテーターシステムって破綻していると思います。成功した人々を呼び、実感がないにもかかわらず各種問題について無理矢理嘆かせて、司会者はクレームが来ないようにまとめる。頼むから事実だけ報じてくれ。無害な意見はいらない。
(2018/1/25)

本当に残念な「週刊文春」のスクープ潰し

「週刊文春」が事前に「週刊新潮」の中吊り広告を入手し、「スクープ潰し」をしていたことを「週刊新潮」(2017年5月25日号)が報じました。この件、本当に残念に思ったのです。なにしろ出版業界の売り上げが下がり続ける時代です。

そんな苦境の中、ネットは雑誌をますます追い込む流れがありました。新潮・文春・女性セブンは毎週木曜日に発売されます。水曜日には「早刷り」と呼ばれる雑誌が出版社やスポーツ新聞の編集部に届く。スポーツ新聞は、この「早刷り」を引用してその日のうちに「○月○日発売の女性セブンが○○と××の交際を報じている。同記事によると『二人は人目も憚らず店の奥にあるＶＩＰルームで熱いキスを交わした』とのこと」などとウェブ版で書くわけです。翌朝のテレビでは、週刊誌のネタをパネルを使って解説する。週刊誌も「売り上げに繋がればいいかな」とテレビに対して許可を出すものの、結局中身を全部バラされる結果となる。

スポーツ紙とテレビというメディアは、芸能事務所とスポーツ各界の御用メディアでしかありません。批判精神もクソもない。そんな連中が、自らの部数や視聴率、そしてウェブ版の場合であればPV（アクセス数）稼ぎに週刊誌を利用してきた歴史があります。

そして、スポーツ紙の悪質なところは、週刊誌報道を誤報扱いする点です。週刊誌の交際報道をじっくり説明しておいて、「なお、所属事務所に確認したところ、『二人は良い友達だと聞いています』とのこと」と、ズブズブの関係にある事務所から電話で獲得したコメントで終えるのを常道としている。

私は2010年から「NEWSポストセブン」という、週刊ポスト、女性セブン、SAPIO、マネーポストの4誌を統合した小学館のニュースサイトの編集をしています。記事を提供してくれる編集部

に敬意を表し、サイトには発売当日に記事を出していたのですが、毎度、スポーツ紙の電子版から発売前日に「週刊ポスト（女性セブン）が○○と××の交際を報じる」という「スクープ潰し」をやられていました。

その〝クソ記事〟がＹａｈｏｏ！のトップに掲載されてガッポガッポアクセスを稼ぎ、我々のアクセス数が減るだけでなく、雑誌の売り上げが減る事態をもたらしていたわけです。だから半ば逆ギレ気味に、我々も編集部の許可を取った上で発売前日に「週刊ポスト（女性セブン）が○○と××の交際を報じる」という記事を出したりしました。

「週刊文春」及び「週刊新潮」は２０１６年になってようやく、テレビに記事の使用料を求める方針に切り替えました。そりゃ当然です。16年4月にはマイナビニュースに「週刊文春」新谷学編集長のインタビューが掲載されましたが、そこで同氏はこう語っていました。

「他人のふんどしばかりだと、楽しくないじゃないですか」

これもその通りですよ。週刊誌の人間は散々スポーツ紙、テレビ、ネットニュースサイト、まとめサイト、個人ブログにパクられては「グヌヌヌヌ」と臍（ほぞ）を噛んできました。同様のことを今回「週刊文春」がやらかしたことが私には残念でなりません。

敵ではあるものの、ネット全盛の今、週刊誌界隈は切磋琢磨する「同志」のような関係にあると無邪気に思っていました。「ゲス中吊りコピー」ダメよ。ダメダメ!!

(2017/6/1)

「テレビを見ただけのネット記事」には

昨今テレビ番組のコメンテーターが叩かれる機会が多い。理由のひとつは、テレビをネタにネットニュース化する輩が多過ぎるからです。とりあえず、テレビ番組を見て、その時の発言で過激なものが登場したら「いただき!」とばかりに記事をチャチャッと作り、20分後にはそのコメンテーターの発言が「○○氏、韓国について『××』と発言!」といった記事でネットに登場する。Yahoo!を含めたポータルサイトにも掲載されてとんでもないPVを稼ぐわけです。

これがSNSに拡散し、「けしからん!」と叩かれ、リンクが貼られたその記事らしきもの(棒読み)にさらにアクセスが増え、そのメディアは儲かるのです。

「張本勲氏、○○選手に『喝!』」や「『○○』出演の××氏、共演者の△△氏に『うるせーんだよ、お前！』」といった記事が日々量産され、多数のアクセスを稼ぎ、広がり続けます。

まさに「テレビを見るだけの仕事」です。これは様々なメディアが採用する手法ですが、そろそろウェブメディア（スポーツ新聞電子版も含む）に内容やコメントを安易に使われる番組及び出演者は「お前らさ、オレのコメントで儲けた分、オレと番組に30％ぐらいくれない？」という要求を出してもいいのではないでしょうか。

もはや「番組及び出演者のコメントを使って記事を作る場合は、1回につき3万円いただきます」などと宣言してもいいくらいの状況になっている。「引用の範囲」を逸脱した記事が量産されるなか、記事を読んだ人からのクレームが局と出演者に浴びせられる理不尽さよ。炎上を一身に引き受けさせられている。

もちろん、「テレビで発信されたことも『社会』の一部である」という考え方は理解できます。だから過度な制約を課するのではなく、「引用の主従関係を遵守してください」と局側はメディアに申し入れをすべきでしょう。

もっというと、番組を作っている主体及び出演者の主導でニュースサイトを作り、Yahoo！やLINEなどに配信を打診して、彼らには「ウチが元ネタです。ウチの記事を優先してください」という申し入れをすればいい。

私はテレビ関係者の皆様の不躾さと「テレビこそ最強メディアなんだからお前らは協力しやがれこの野郎」的ゴーマン姿勢は大嫌いです。しかし、出演者をブッキングし、台本を作り、打ち合わせもしたうえで楽屋には出演者のために飲み物や弁当まで用意するその姿勢に対しては一定の敬意を表します。

さらに、我々のようなウェブメディア発の話題を使いたい場合は事前に問い合わせをする常識も評価しています。

もしも「スポーツ紙を含むウェブメディアの皆さん、ガンガン私達の番組を使って記事を作ってください！」みたいな裏約束でも存在するのであれば、この主張は的外れですが。

そうでないなら、テレビ・ラジオ局がやるべきは前述のように「我々の番組内容が『主』となる記事を作る場合はカネ払え、オラ」と言うことです。しかしながらテレビ番組にしても、番組の尺を埋めるためにネットの話題を使いまくっているため、あまり強く言えない部分があるのかもね。ああ、そうだった。（2019/9/19）

蔓延する「天才・イチロー」への忖度

２０１７年4月、ＴＢＳのスポーツニュース番組『Ｓ☆１』がイチローの打撃技術に迫る特集をしていました。見ながら、つくづくイチローに対しては取材はできないなと思い知らされました。

なぜイチローの取材はできないかといえば、「イチローがイチローであること」を尊重し、「孤高の天才・近寄りがたいイチロー」として接する人間でなくては取材は許されない空気がメディア内にあるからです。実際、密着取材はめったになく、イチローが信用する特定のノンフィクション作家やメディア人による取材が行われてきました。

イチローがメジャー通算３０００本安打を達成した２０１６年8月、涙を流しているように見えると取材者が指摘したところ、「無粋ですよ」と言い放つ。それ以降は取材

者がおずおずと「こんな質問してバカだと思われないかな……」とビビりながら尋ね、イチローが「分かってないなぁ……」とあきれ顔をし、何やら抽象的なことを発言するという展開が延々と続くのです。

あれだけの努力をし、現在の地位を築き上げたイチローのこのスタイルについては何ら文句を言うところではないのですが、制作側の「忖度」が我が事のように感じられ、むずむずとした気持ちになってしまうのです。

密着取材するとなったＴＢＳのスタッフは全員が「失礼があってはならないぞ」と考え、握手をする時でもイチローは片手なのにスタッフは両手で深々とお辞儀をしながらといった形で終始ペコペコしていたのでは。恐らく私も、イチローを前にするとそうしてしまうだろう、ということに自己嫌悪を感じてしまうのでした。

そして番組の作りとしては、「天才・イチロー」のイメージを絶対的に強化しなくてはいけないと考える。

イチローは「遅い球を待って速い球に対応する」そうです。あれほどの求道者にしか分からない感覚なのでしょうが、日本のプロ野球最多安打記録「２１６」を持つ西武の秋山翔吾を取材し、秋山の「速い球を待って遅い球に対応する」という言葉を引き出す。

そして、秋山は「遅い球を待って速い球に対応する」なんて自分にはできないといった返事をします。このやり取りは、現在日本球界最高峰の安打製造機である秋山をもってしてもイチローには及ばない、といった演出に繋がります。

若い秋山がレジェンドたるイチローへのリスペクトを見せるのは分かりますが、彼の天才性を際立たせるために秋山を利用していいのか、と制作者に対しては疑問を感じました。イチローは2010年以来一度も3割を打っていませんし。

「イチロー名言集」はネット上にいくらでも転がっていますが、どれも本当にカッコ良く、ロールモデルであるがゆえの人格者的発言も多い。いつしか人は、イチローを勝手に「天才」「人格者」「近寄りがたい人」扱いしてしまう。これは中田英寿も同じで、もはや「日清ラ王」のCMに前園真聖の子分として出ていたことなど、誰も覚えていない。

前園から「ヒデ、ラーメン食いてぇな」と言われ「行くか、ゾノ」なんてやっていた人物として扱ってはいけない。圧倒的実績を残した人のことは常に腫れ物に触るような扱いをし、称賛し続ける。これがマスコミに蔓延した「忖度」なのです。(2017/4/20)

「24時間テレビ」のステレオタイプな愛

今年も夏の風物詩『24時間テレビ』（日本テレビ系）が終了しました。かつて日本テレビの女性社員と短期的に付き合っていた時期があったのですが、この時は社員総出でこのイベントにかかわらなくてはいけないというので、あまり会ってもらえなかったことを今でも残念に思います。

そういった個人的事情はさておき、同番組はチャリティーでお金を集める手法としてもう役割を終えたのではないでしょうか。最近では、もはや「障害者ショー」のような状況でしかありません。

毎度『24時間テレビ』については、障害者や苦しい境遇にある人を感動ストーリーに組み込む様が酷いといった批判が巻き起こります。私もこの批判には全面的に賛同します。出演する障害者は、ギャラは当然貰っていると思われますが、なんで「障害者だから」という理由でテレビが大々的に取り上げるのでしょうか。

本来、「愛は地球を救う」というコンセプトであるのならば、表現する形はいくらでもあるのですよ。それこそ、あまりにも某アイドルのことが好きなオタク男性が、いかに「追っかけ」をし続けるかというのも「愛」です。

『24時間テレビ』の姿勢で問題視したいのが、「苦労をしている人（と番組関係者が思う人）」を優先的に取り上げる点です。アイドルオタクとか、野球マニアみたいに「愛」を持っている人々はあくまでも「快楽」「娯楽」で趣味を全うしているだけで、番組の目指す感動的な映像にはならないように感じられているのかもしれない。

しかし、「愛は地球を救う」のであれば、「苦しんでいる人（と彼らが考える存在）」以外にも取り上げるべき人は多数存在する。私だって、現在取引をしていただいている様々な会社の方々に対して愛情を持っています。そして、それら企業の担当者からの愛情も感じます。そういった形で「愛」って色々な場所に存在するんですよ。

私は2016年4月、父親とケンカをし、絶縁も匂わすような発言をして、彼から逃げました。しかし、そんな父がJICAの仕事でとある紛争地に8月末から赴きました。ここで私は彼の命を心配し始めるとともに、ケンカしたことを後悔しました。ここに愛はあるか？　70過ぎの男で仕事がまだあるのは「弱者」カテゴリーには入らない。43歳の私のような男がその父親に対し「あの時はケンカをしたけど、無事に生きて帰ってくれ」と思うことに「愛」はあるか？

ありま す。ただし、それは「70過ぎてまだ仕事をもらえる男」と「メディアで自由に何でも意見を書ける男」という「強者」の間に存在する愛情です。

こういった形の愛情は世間様の「共感」を得られないと日本テレビは考えている。結局、障害者や病人を勝手に「苦しんでいる人」のカテゴリーに押し込み、そうした方々に「愛」を押しつけているのです。

障害者や生活苦の方しか「愛」を体現する存在になれない状況はおかしい。それって単なるステレオタイプだし、実際のところ彼らをバカにしてはいないでしょうか。愛は誰にも平等に与えられるものだと私は思っています。

『24時間テレビ』って偏ってますよね。（2016/9/15）

やめませんか「混んでます報道」

コロナ禍が若干収束し、県境をまたいでの移動が可能になった２０２０年6月20日・21日の週末。全国各地で渋滞が発生し、行楽地は大混雑となりました。それと同時発生したのが「混んでます報道」です。

富士山5合目で取材をしていたテレビクルーに応えた一家には、高齢の外国人女性が一緒でした。男性が「インドネシアから来た妻の母と桜の時期に出かけたかったのですが……」と苦笑いしていました。

察するに、コロナで義母が日本に足留めされ、さらに自粛期間が重なり、このタイミングでようやく親孝行ができた一家なのでしょう。「うわっ、オレ、全国に『気の弛んだ不届き者』扱いされちゃう！　お義母さんに富士山を見せたかった、という必要至急の外出だとなんとか印象づけなきゃ」なんて思ったのか、その作り笑いには若干の罪悪感が滲み出ていました。

続いて「野外イベントで遊ぶ若者」たち。大勢が嬌声をあげながら踊りまくっている映像に、レポーターが「マスクをしていない人もいますね」と解説。若者は「もう発散させたいっすよ！」みたいなことを言っています。彼らにはモザイクがかかり音声加工もされていました。

前者は「善良なる市民、でも欲望を我慢しきれない人」で、後者は「ハメを外した非常識バカ」という構図で視聴者は受け取る。

もうこの「混んでます報道」やめませんか？　遊びに行った人は罪悪感を覚えるし、遊びに行かなかった人は「こちとら我慢してるのに、この馬鹿どものせいでまた感染が拡大したらどうするんだ！」となり、誰も幸せにならない。

楽しむために遊びに行くのに、登山なんかでは暑苦しいマスクをつけての苦行となります。

メディアは散々「自粛警察」や「マスク警察」を取り上げて「やり過ぎだ！」と義憤を煽りましたが、「混んでます報道」だって「自粛警察」であり「マスク警察」です。それでいて取材側は〝マイクを棒につけてソーシャル・ディスタンスを取っていますから〟〝レポーターもマスクつけていますから〟と予防線を張る。

自分たちは炎上しない準備をしたうえで、登場する人々を視聴者に叩かせる。結局コレって、スポーツ紙の電子版が作る「芸人の○○がツイッターで××と発言。それがネット上で賛否両論の大激論となっている」といった「炎上誘発コタツ記事」と同じ構図なんです。

著名人のSNSやテレビ・ラジオでの発言は、過激であれば大抵はネットニュースで取り上げられるようになりました。報じたメディアはアクセス数さえ稼げればよく、記事が人々の「けしからん！」の気持ちとともに拡散すればするほどお金になる。一方、取り上げられた著名人は自身のSNSに罵詈雑言が押し寄せてくるだけ。

著名人本人は何の得もしないわけです。そんな理不尽な状況にある中、ロンドンブーツ1号2号の田村淳が、日刊スポーツがラジオのコメントを抜粋して記事化することについて「もう何を言っても無駄なんだとわかりました……」と絶縁宣言しました。これには「もうオレのコメントを使って文脈から切り離したクソ記事つくるんじゃねぇ！」という怒りを感じます。もっと他のメディアにも言っちゃえ！　他人を炎上させて自らはノーダメージで稼ぐ連中は本当にゲスです。（2020/7/9）

第４章　「ＩＴ社長」ってあまりに古すぎないか

新潮社の社長も「ＩＴ社長」なの？

石原さとみはライブ動画のネット配信サービス「ＳＨＯＷＲＯＯＭ」の前田裕二社長と、剛力彩芽はアパレル通販サイト「ＺＯＺＯＴＯＷＮ」を運営する「スタートトゥデイ」の前澤友作社長と、元ＡＫＢ48・小嶋陽菜はスマホアプリ制作会社「ピックアップ」の宮本拓社長と交際していると報じられました。

キーワードは「ＩＴ社長」です。メディアは「ＩＴ社長はなぜ美女にモテるのか」みたいな企画を作り、ＳＮＳでは「オレもＩＴ社長になりたい！」という怨嗟の声が多数書き込まれました。

でも、「ＩＴ社長」って言い方古くないですか？　堀江貴文氏（ライブドア）や三木谷浩史氏（楽天）、藤田晋氏（サイバーエージェント）が出始めた2000年代前半の時代は「IT社長」でもシックリきました。当時ITを駆使する企業は少なかったからです。

堀江氏は元々「オン・ザ・エッヂ」でホームページ制作をした後に、ネットサービスプロバイダの「ライブドア」を買収し多角経営にしました。現在は堀江氏もライブドアから離れ、同社はLINEの運営になっています。

楽天はネットショッピングモールで、サイバーはネット広告代理店を原点としています。その後サイバーはアメブロやAbemaTVをはじめ、メディア事業やゲーム・金融事業を積極的に進め、楽天も旅行や金融、カード事業も熱心に行うほか、携帯電話の事業開始も目指しています。

いずれもITに軸足を置きつつも、かつての「IT企業」的イメージを超える発展を果たしました。だから今やLINE、楽天、サイバーを「IT企業」と呼ぶのは大雑把過ぎて違和感があるのです。

「ネットを活用しているからIT企業」という雑な分類がこれまでは通用してきましたが、もはやインフラとなったITを企業分類に使用している場合ではないでしょう。1

９８０年代、電話で営業をしまくっていた会社を「電話系企業」なんて呼んでいないのと同じです。

「通販生活」のカタログハウスや「ジャパネットたかた」は依然として「通販会社」と呼ばれます。でも、彼らのネット活用は十分かつての「ＩＴ企業」レベルにある。ビックカメラやヨドバシカメラは「家電量販店」と呼びますが、彼らのネット通販事業だって相当な売り上げがあります。

このように、今やほとんどの企業がＩＴを活用しているわけですから、いい加減20世紀後半から21世紀初頭の「来てるね、未来！」みたいなダサい分類、やめませんか？そして、そうした会社の経営者のことを「ＩＴ社長」という「若くてギラギラしていて金持ちでイケメン」みたいなレッテル貼りで呼ぶのも古い。

企業によるＩＴ活用が当たり前になった時代、前述した前田氏は「ロケ派遣業社長」「中継請負業社長」です。前澤氏は「アパレル会社社長」で宮本氏は「ソフト制作会社社長」です。彼らが「ＩＴ社長」なら、ニュースサイト「デイリー新潮」を持つ新潮社の佐藤隆信社長も「ＩＴ社長」ですか？

どうも昨今の「ＩＴ社長」が異世界の特別な人々であるといった報道、世間の反応を見るにつけ、一応はＩＴ業界の人間である私など張本勲さんのようにこう言いたくなってしまいます。

「分類が雑過ぎるだろ、喝だ！」（2018/6/21）

「卒業します」ではなく真実を言え

退職することを「卒業」と言う流れが定着しつつありますが、どこのアイドルグループ所属の方ですか。テレビでも番組改編期には、女子アナが泣きながら花束持って視聴者と共演者、スタッフに感謝の言葉を述べ、「私、〇〇は××を卒業いたします！」なんて嗚咽をもらす。

えぇい、組織から抜けることについては「降板」「脱退」「退職」「異動」「左遷」「追放」「クビ」「リストラ」「解雇」「退任」「引退」「更迭」でいいのです。「卒業」という桜の花びらが可憐に舞う姿を想像させるロマンチックで感傷的な言い方を、最近は定年退職するいい年したオッサンまでするようになりました。

「この度、38年勤務した〇〇社を無事卒業しました」なんて。

元々、不仲になったバンドのメンバーが脱退する時に使う「発展的解消」という奥歯にものが挟まったような言い方は存在しました。これをさらにポジティブに見せるために「卒業」は使われるようになり、これが一般にも広がった。

また、私が問題だと思うのが、メディアの側も芸能人への忖度として「卒業」を使うことです。私も記事を編集しながら「こいつ、アイドル活動が嫌になったから『脱退』するだけだろ」なんて思いつつも、事務所からクレームが来たら厄介だな、とばかりに「卒業」のまま原稿を通します。

こうした気持ちの悪い言い換えが蔓延するのは「無菌社会」の証で、少しの毒や、身も蓋もないことも言えなくなってしまいます。というわけで、気持ち悪い言葉をほかにも挙げてみます。

ちなみに最初に出すのがダメ言葉、続くのが正しい言葉です。

・ユニーク＝非常識
・やんちゃ＝悪事
・援助交際＝売春・買春

・一線越える＝一発ヤる
・大人の関係＝性的関係
・微妙な味＝マズい
・将来性に期待＝無能
・リベラル＝サヨク　※一部
・保守＝嫌中嫌韓派　※一部

こんな妙な言い換えをし続けているから、大相撲で「暴行」を「かわいがり」、東芝では「粉飾決算」を「チャレンジ」なんて言い換えることがまかり通ってしまうのです。言い換え言葉を使い続け、慣れてしまうと、いつしか事の重大性を忘れてしまう恐れがあります。

とはいっても、過去にネットで「ブスなアイドル」ということで「ブスドル」と呼ばれていた藤子まいさん（今はけっこう美人）について、さすがに「ブス」と書くのは憚られました。その時、彼女を取材したライターが苦肉の策で出したのが「前衛的なルックスでおなじみの藤子まいクン」という表現でした。

こんな小手先のテクニックを使うのは、とかく配慮が必要な日本ばかりかな、と思うかもしれませんが、アメリカでも同様の言い換えは存在しました。私の高校時代、アメリカ史の若い男性教師が授業の文脈とはまったく関係なくこう切り出しました。

「授業中奇声を発したり走り回ったりする素行の悪い生徒の親と面談する時、なんて言うか分かるかい？」

これに対する生徒の答えは「バカ」を含めた差別語交じりになったのですが、教師曰く、

「あなたの息子さんはハイパーアクティブだ、だが……」と注意を与える、とのことです。（2018/3/29）

ホメてるようで、全くホメてない言い方

何かをホメる時に「○○なのに××じゃない！」と言うのってあんまりホメてない。先日、ミュージシャンＡが旅番組で奈良県に行った様を視ました。夕食には「イワナの刺身」、翌日は「アマゴの塩焼き・押し寿司」などを食べました。内陸部のため、川魚

料理が名物なわけです。

イワナは通常は塩焼きで食べるわけで、その刺身ってどんな味だろう、と思います。

さて、Aはその味をどう表現するか？　ワクワクしながら待つとこう言った。

「川魚なのに臭くないですね！」

思わずズッコケましたが、アマゴの時も同様のことを言う。ご本人はこれでホメているつもりなのでしょう。しかし、「川魚は臭いもの」という先入観で食べたらそんなことはなかった！　という「マイナスがゼロになった」ことしか言っていない。

この言い方は、いくつでも挙げられます。


「羊の肉なのに臭くない！」

「安い肉なのに全然美味しい！」

「コーヒーが嫌いな私にも飲める！」

「こんなに大きな蟹だと大味だと思ったけど繊細な味！」


これがエスカレートしていくと「うわっ、東大出身なのに面白い！」とか「うわっ、電通社員なのにいい人！」なんて発言し、相手をムッとさせてしまう。

正しいホメ方というのは「いちいちネガティブなことを言わない」点にあるのではないでしょうか。

イワナの刺身の場合は、「イワナは塩焼きが一番だと思ってましたがヤバい！　こっちが一番になるかも！」と言ったり、「スズキをさらにサッパリとさせた感じですね。川の魚だからか、ワサビが海の魚よりもよく合うように感じられます。いや、錯覚かな（笑）」みたいに味のことを伝えても良い。

そして、一般の人はいちいち聞く必要はありませんが、川魚を刺身で食べる場合、レポーターは「イワナの生って珍しいですが、寄生虫は大丈夫なのですか？」は聞くべきです。さすがに「うわー！　寄生虫がいると思ってましたが、一匹もいませんね！」とホメるのはあまりにも失礼過ぎますが、視

聴者の中には味よりも何よりも安全性が気になって仕方がない人がいるわけです。

そういう人達の不安を和らげるためにも、そしてお店の名誉のためにもこの質問はした方がいい。そうすれば「はい、ウチのイワナは水質を徹底的に管理した養殖池で育てていますので大丈夫です」なんて答えを引き出せたかもしれない。

「落としてから上げる」式の賛辞は、言う側は最大級にホメているつもりかもしれませんが、実は言われる側が一番気にしていることである場合もあります。

大学4年生の3月、男4人でアメリカに卒業旅行に行きました。その中の一人、B君がC君に対してこう言いました。

「お前、顔は金正日にソックリなのに、けっこう気が利くし優しいよな!」

B君はホメたつもりだったのですが、C君は憮然とした表情を浮かべ、「オレはそれを一番言われたくないんだ」と言い、我々4人は空中分解。以後は別行動になったのでした。(2018/1/4・11)

「かわゆす」「リスペクト」「神」だと?

よくよく考えると全然ホメていない言葉はほかにもあります。

以前、絶世の美男子が「イケメンってよく言われるでしょ？」と聞かれてこう答えていました。

「はい……。でも、それって全然ホメ言葉じゃないんですよね……。なんだか顔だけホメられている感じがして……。頭脳とか人間性はまったく評価の対象になっていないのか……と、いつも落ち込みます」

おい、それはホメてるぞ！　ブサイクなオレら全員を敵に回したいのか！　ということなのですが、「実はホメてない言葉」ってよく芸能人ブログのコメント欄に見ることができます。基本的にアメブロの場合は芸能人ブログのコメント欄は事前にチェックをし、ネガティブなコメントは排除するようになっています。ですから、一般サイトのような罵倒や呪詛の言葉はないのですが、また別種の言葉が散見されるわけです。

アイドルやモデルが、自撮り写真や全身コーデ、すっぴん、寝顔などをブログで公開すると絶賛キャーキャーコメントが殺到。その中でも多いのは「なんという天使！」「お人形さんみたい！」「かわゆすぎてキュン死する！」「女神！」です。いずれも最大級のホメ言葉として使っているのですが、私のような重箱の隅をつつくタイプのひがみ男からすれば、これらは以下のように解釈されます。

・お人形さんみたい＝無表情
・かわゆすぎてキュン死する＝その程度で死ぬか、嘘つき！
・女神＝金と銀の斧持ってこい！　そもそもお前、なぜ水の中で呼吸できるんだ？

特に「お人形さんみたい」は、一体なんなのでしょうか。市松人形がズラリと並んでいるような恐怖スポットを想起してしまいます。或いはホラー映画『チャイルド・プレイ』の殺戮人形・チャッキーでしょうか。

ホメ言葉は移り変わるもので、20年前には恐らく通じなかったであろう言葉も目立つ。「マジパネェ！」「ヤバい！」「イケメン」「かわゆす（可愛い）」「リスペクト」「神」

これを書き込まれた芸能人は果たして本気で喜んでいるのでしょうか？

日本で女性に対し「きゃー、顔ちっちゃーい」と言うとホメ言葉になります。ただ、ドイツ出身のサンドラ・ヘフェリンさんの著書によると、「小顔」「顔小さい」の評価は「脳ミソ入ってないみたい」といった意味になるようです。ですから、ドイツ人に「顔小さい」は言ってはいけません。おそらくほかの国の人にも言わないほうがいいでしょう。

一般人にしても、フェイスブックで新しいネイルや赤ちゃんの写真が披露された場合、「ゴージャスな指先！　夏のお花畑みたい！」とか「きゃー、マシュマロみたいでもふもふしたい！」とかいちいち凝った表現でホメなくてはいけない。

「可愛いね」だけで済んでラクだった昔がなつかしくて仕方ありません。ホメる時も当たり前過ぎる表現では失礼に感じてしまうという「24時間クリエイティビティ発揮状態」はキツい。（2017/3/23）

普通の「東大卒」が可哀想

豊田真由子衆議院議員のパワハラ発言「ハゲーーーーー！」で痛感したことは、「東大卒」って可哀想ということでした。多くの報道では豊田議員が「全国女子高ナンバーワン偏差値の桜蔭高校から東大法学部に入り、キャリア官僚として厚労省に入省、ハーバード大にも留学した非の打ちどころのない経歴」とまず紹介される。

その後は「しかし人の気持ちは分からなかったようだ」という論評です。さらには「昔からお勉強ができた子がなんで」や「お勉強ができるだけで、社会性は一切学ばなかった」なんてことも書かれてしまう。

かつて世間を騒がせた「スーパーフリー」に東大生メンバーがいたり、東大生が強制わいせつと暴行の罪に問われたりすることで、「東大生なのに何をやっているのだ」と言われてしまう。

テストで良い点を取ることと、性格の悪さ、社会性のなさ、性欲を抑えきれず蛮行に至ることというのは関係ない。何かの問題を起こした時に殊更「東大」を持ち出すのはメディアの伝統芸になっているわけですが、ここで可哀想なのが普通の東大出身者です。

彼らからすると東大は自分の人格の一部を形成する存在でしかないのに、すべての根拠を東大に求められてしまう。となれば、東大出身無職、東大出身フリーターなどは、格好の興味の対象になり、散々いじられる。東大を出ると、エリートになることを勝手に求められ「なんでそんなことやってるの?」と言われ続けてしまう。

東大出身者は社会に出ると、色眼鏡を通して見られるようになります。時々聞く言葉が「アイツは東大卒のくせに使えない」というもの。「東大＝圧倒的に優秀」という期待を入社段階で持ち、失敗した場合にここぞとばかりに叩き、東大以下の大学出身者が溜飲を下げる。「仕事ではオレがアイツよりも優秀だ、ガハハ」となるわけです。

東大出身の電通新入社員・高橋まつりさんが２０１５年12月25日に自殺しました。彼女は上司から「君の残業時間の20時間は会社にとって無駄」と言われていたそうですが、ここには東大卒であるがゆえのやっかみも含まれていたかもしれません。

また出身者から批判が出るのも東大の特徴です。脳科学者・茂木健一郎氏は東大生相手に偏差値重視の愚を諭し、『美味しんぼ』原作者の雁屋哲氏も、同作で山岡士郎にこう言わせました。

「最近の東大法学部出の官僚のひどさときたら、目を覆うものがあるね。厚生省、日銀、大蔵省、軒並み浅ましい行為を尽くしている。（中略）日本経済を破綻に追いやった大蔵官僚をはじめ、その罪、万死に値する連中ばかりだ。ひとつの学部で、これだけ国に害を及ぼす人間を次々に出す学部は、世界中で東大法学部だけだ。こんな学部は、廃部にすべきだよ」

そして、山岡の妻・栗田ゆう子も「東大法学部出の大蔵官僚が、国際的にはまったく通用しない無能な連中の集まりだった証拠でしょう」と痛烈批判。

しかし、出身大学はその人物の構成要素の一部に過ぎず、殊更に東大に理由を求めるべきではない。あと、出身者は東大を叩くことで寛容さをアピールしたいのか、とも勘ぐってしまいます。

私は東大出身ではないのに1999年~2001年（サラリーマン時代）に、東大駒場寮に住んでいました。その間、東大にネガティブな印象を抱く出来事には一切遭っていません。（2017/8/3）

なんか気持ち悪い「じぃじ」と「ばぁば」

いや、言葉ってものは変わるものです。かつて祖父母は「じっさま・ばっさま」だったのが、「おじいさん・おばあさん」「おじいちゃん・おばあちゃん」と少しずつ身近な響きになる変遷を見せていました。それが今や「じぃじ」「ばぁば」と言うそうではありませんか！

この言葉、私はなんか気持ち悪い。魚のことを幼児語で「じーじー」なんて言ったことを思い出しますが、「じぃじ」「ばぁば」は、老人をかわいらしい存在にしようとする意図が感じられるのです。孫をとにかくかわいがる好々爺や「かわいいおばあさん」に仕立てて、小遣いをせしめようとしていないか？

本来、老人ってものは、人生の酸いも甘いも噛み分けた「達人」的文脈で、尊敬の対象になっていたのではないでしょうか。「古老」「長老」といった言い方にそれは表れています。それなのに、「お父さん」「お母さん」の実の息子・娘が、自分の子供が生まれた途端、両親を「じぃじ」「ばぁば」に変えてしまう。

私には2つ上の姉がおり、彼女も2人の息子（私にとっては甥っ子）に対しては両親のことを「じぃじ」「ばぁば」と呼ばせています。うちには子供はいないし、一生作る気もありませんが、何よりも私が腹立たしいのは、私の両親が「じぃじ」「ばぁば」という呼び方を自然と受け入れていることです。

実は私の70代の母は「お母さん」と呼ぶことさえ禁止する親でした。「お母様と呼べ！」と言い、権威の維持を目論んでいたにもかかわらず、今や「ばぁば」を受け入れている。

人は変わるものではあるものの、正直母親の変貌ぶりには落胆してしまいました。彼女は「世間は孫がかわいいと言うが、本当は自分が腹を痛めて生んだ息子・娘の方がかわいいに決まっている。孫は息子・娘が頑張って育ててくれればいい」と40代の頃は言っていたわけですが、どうしてこうなった。

こうした呼称で毎度違和感を覚えるのが、テレビ番組で芸能人がロケに行った時、地元の高齢者に対して「お母さん」「お父さん」と呼び掛けることです。これを60歳ぐらいの芸能人が70歳ぐらいの地元の人に対して使うことが実に不快です。

正直なところ、自分が70歳を過ぎて、見ず知らずの年下から「お父さん」なんて言われたらその場で放尿して明確な不快感を露わにするでしょう。44歳の私は見ず知らずの若者や子供から「おじさん」と言われてもまったく気になりません。でも「お父さん」はイヤだし、「お兄ちゃん」も違う。

いくら言葉は変わるものでも、呼び方については いちいち変えないでいいのではないか。「ガキ」「坊ちゃん」「お嬢ちゃん」「アンチャン」「ネエチャン」「オッサン」「オバサン」「爺さん」「婆さん」というクラシックなものに加えて、「ギャル」「アニキ」ぐらいでいいのではないでしょうか。（2018/8/2）

いい年した大人の「おうち」発言

コロナ禍で、馴染みのなかった言葉が普及しました。「クラスター」「エアロゾル感染」「ロックダウン」。ネットでは「アマビエ」（疫病を退散させる妖怪）など。

そんな中、「Stay home は、Stay at home では？」という意見も。これには、英語通からの「イギリス英語では at がつき、アメリカ英語ではつかない。でも、アメリカでも『専業主婦』は Stay at home mom と言う」との指摘が出て、勉強になった人もいたかもしれません。

小池百合子都知事が5月末に出した「ウィズ　コロナ宣言」の with corona については海外とは用法が違う、との指摘が出ています。日本では「コロナは我々の生活に存在するものと考え、その上で生活様式を考えよう」という意味で、発想の転換も含めて

「コロナと共生する社会」です。

ただ、英語の記事を読むと with corona の使われ方で多かったのは died with coronavirus（コロナウイルスで死んだ）や infected with coronavirus（コロナウイルスに感染した）など「チクショー！　コロナの野郎！」的な用法。dealing with coronavirus や how to cope with coronavirus のように、「コロナに対処する」でも with corona は使うものの、日本的な、前向きなニュアンスはない。

それにしても、よく分からない言葉も多い。「濃厚接触」は「近距離で一定の時間を共にした」と解釈されるようになりましたが、初めの頃は「ディープキス以上のこと？」と思われていた。このため、日本第一号のコロナ感染者である武漢から再来日した中国人男性が〝父親と武漢で濃厚接触していた〟と報じられたときは、「どういうこっちゃ？」という声がネットに多数書き込まれました。

さらに、「夜の街」とか「接待を伴う飲食店」ってなんですか？　はっきり「キャバクラやホストクラブ等」と書けよ。「接待を伴う飲食」って、料亭で「○○部長、××ダムの受注、今回はウチに回してくださいよ。今晩はスッポンでもアワビでも何でも食べてください！」「お主も悪よのぉ」みたいなものを想像するじゃないか。

こうした違和感のある言葉に対して、私の周囲の文筆家クラスターからは、異議表明が相次ぎました。作家の山田詠美さんは「女性セブン」で3回にわたって小池都知事の「おうちにいましょう」に「喝！」を浴びせました。

〈いい年した大人が自分の家を「おうち」と呼ぶの、私、本当に気持悪いんです〉

さらに、どんな男前でも「おうち」と言った途端に魅力半減どころかマイナスに急降下するとも主張します。確かに「オレ、おうちにホームバーがあるんだよ」なんて言われても、萎えそうです。

しかし、あろうことか「女性セブン」は、山田さんが憤怒した3回目の号で「おうちで見たい映画」「おうちで食べられるミシュランシェフのレシピ」特集を展開していたではありませんか！　私は同誌のウェブ版を担当しているので、「すいません」と彼女に連絡したら「戦闘意欲をわかせる言葉ざます」と、さらに「おうち」への怒りが増した模様でした。

さすが、作家は言葉を大事にしているぜ。私も今度、車と魚を「ブーブー」「おトト」と書いてみようかと思いました。（2020/6/25）

第5章　だから貧乏国へまっしぐら！

バンコクで感じた「明らかな違い」

2019年末、私は突然憂国の士になってしまいました。あまりにも安すぎる日本の賃金と物価を放置しておけば我々は世界での競争力を失い、海外資本から買い漁られる！　と様々な連載で書き続けたのです。

ここで比較していたのはG7加盟国やシンガポール、香港ぐらいだったのですが、その後タイ・バンコクに来て「こりゃ本気でマズい」と思うに至りました。年末年始を海外で過ごす生活が13年連続、これまで「楽しく過ごすのに物価が安くていいよね」と思って来ていたバンコクの物価が明らかに上がっていたのです。

そして街中で「イイオンナイルヨ」「コニチハ」「オイシイヨ」などと声を掛けられる

ことがほぼなくなりました。日本人はもはやカネづるではなくなったのです。

確かにこの数年、カンボジアやタイで日本人の若者グループがレストランで1杯だけビールを頼み、あとは無料の水で1時間以上ダべっている姿を見るようになりました。現地の人は明らかに気分を害しています。

「ケチなことやめろよ……」と常々思っていましたが、日本の物価に慣れきっていた私は今回、明らかに違いを感じたのです。

２０１２年までは1万円が３７００バーツほどでしたが、２０１９年は２８００バーツほど。つまり、１バーツが２・７円から3・６円に上がったわけです。

そして庶民が買うものの価格の上昇にも、タイの成長を感じます。氷の入った手押し車で売られているマンゴー、パパイヤ、スイカ、パイナップルなどのフレッシュフルーツは、２０１４年くらいまでは10バーツだったのが20バーツに。オレンジジュースは25バーツが35バーツを経て50バーツになりました。

もちろん、首都バンコクの価格であることは理解しつつも、これを東京と比較したらどうなるのか。バンコクではマクドナルドのダブルチーズバーガーセットが７４０円。日本では６４０円です。

１９９６年頃のタイ国際航空は、若かりし日のいしだ壱成がタイの異空間を体験するCMと、「タイは、若いうちに行け。」のコピーで、しきりと日本の若者を招こうとしていました。あの頃は学生も「国内旅行をするより安いよね」なんてガンガン行っていましたが、間違いなく今はあの感覚では行けません。

日本は一応「先進国」扱いで、タイは「発展途上国」扱いです。しかし、昨今は日本を訪れる外国人が「爆買い」をしたり、北海道・ニセコの外国人向けの飲食店では海鮮丼が５０００円したりする。

彼らは、もはや日本人を相手にしていない高級ホテルやコンドミニアムに泊まり、こうしたランチをいとも簡単に食べる。そうです、１９９０年代に我々が東南アジアでやったことをやっているのです。

日本の超大企業に勤め、ロンドンに赴任した友人から先日、嘆きのメールが届きました。46歳の彼は明らかに役員候補ですが、曰く「オレは日本人としては金持ちだけど、イギリスのサラリーマンが躊躇なく飲むコーヒーが飲めない」。

でも、こうした本音を実名で書くと「上から目線！」とネットで叩かれるだけ。だから日本は貧乏になるのです。（2020/1/16）

「日本はモノが安いし住みやすい」の落とし穴

日経新聞の「『年収１４００万円は低所得』人材流出、高まるリスク　安いニッポン」という記事が２０１９年12月に話題になりました。『羽鳥慎一モーニングショー』（テレビ朝日系）もこの話題を扱い、ＯＥＣＤ加盟国で日本だけが成長しておらず、サンフランシスコでは年収１４００万円でも「低所得」扱い、という話をしていました。番組によると日本の家庭あたりの所得は５００万円です。

国税庁によると平均給与は男性５７７万円、女性２７９万円。外国人が日本のダイソーで爆買いするのは、自国のダイソーより安いからだそうです。これは嘆くべき話です。しかし、これに対してネットでは反発する人も大勢います。まとめると、それは次のようなタイプに分けられます。

（１）とはいえ日本のＧＤＰ世界第３位だろ
（２）家賃60万円、ランチで３０００円掛かるサンフランシスコはクソ

（3）日本で十分に楽しく生活できているんだからいいじゃないか
（4）こんなに安全な国はない
（5）税金・医療費も安いし、物価も安くて最高

（1）については「お前達は何位に落ちるまでそれを良しとするのだ」という危機感を持つべきでしょう。日本はOECD加盟国の中ではアメリカ、メキシコに次ぐ人口第3位。一応「先進国」扱いの中で人口が多いんだからGDP3位というのも驚くべき話ではない。問題は、よく言われることですが「一人当たりの生産性」についてです。

ここではまず（2）から考えるべきです。東京では一人暮らしで満足できる家だと、家賃12万円、ランチが800円～1000円でしょう。地方では家賃6万円～8万円、ランチは700円～900円とでもしましょうか。

「家賃60万円、ランチ3000円のサンフランシスコなんて最悪だろ?」という発想ですが、それは「下から上を見ている」ことに他なりません。サンフランシスコの人間が、東京事務所に駐在して、サンフランシスコと同様の賃金を貰えるとしたら、松濤のマンションやら高級タワマンを借りる「上級国民」になるわけです。

普段、日本人のあまりカネ持っていない人々としか付き合っていないから、（2）のような発想になってしまう。「彼らはこちらに余裕で来られるけど、オレらはサンフランシスコに行けない。それは悔しい」という発想になった方がいい。最低でも彼らは「世界のどこでも生きられる」という選択肢を持っている。

国の強さを表すのは通貨の価値ですが、私は１９９５年、１ドル＝79円の時にアメリカ旅行をしました。いやはや円の強さ、感じましたよ。だって学生街でまともな外食をしたら４ドルとか５ドル、すると３２０円～４００円で腹いっぱいになったのです。吉野家の牛丼が４００円の時代に、アメリカで食べるほうが満足度は高かった。ホテルに泊まろうにも60ドルのまともな部屋でも４８００円でした。

そして２０１６年にイタリアに行ったら、小瓶のビール２本とパスタで４０００円！しかし、周囲のイタリア人を含めた白人や中国人は平然とこの値段のランチを食べている。円の力が落ちたこと、日本国内の給与水準の低さを痛感し、「もうヨーロッパには来ない。惨めな気持ちになるだけ」と感じてしまいました。

肝心なのは、（1）から（5）まですべて「日本買いがしやすくなる」ということに行き着くということです。新型コロナウイルスの蔓延のなかでも、中国ほかアジアからの観光客、欧米の観光客が日本での買い物を満喫していました。小売店で買う分にはいいですが、マンションの投機（これはもう十分中国人によって進んでいる）に始まり、土地、水源、企業の買収続出に繋がったらどうするか。外国からやってきた金持ちに使い倒されるかつてのプランテーションの如き状況になってしまうのかもしれません。

恐らく「日本すごい！」でこの50年ほど来ていたけど、それはもう1995年ぐらいでやめるべき話だった。バブル崩壊から就職氷河期がやってきて、デフレは改善せず、値上げをすると企業にクレームが寄せられる。安物には大行列ができる惨めな光景がそこかしこで展開される。

これから我々は「海外から投機の対象になりうる貧乏国入りまっしぐら」であることを自覚し、まずは値上げに耐え、金持ちはカネをガンガン使い、あとは新たなる成長のエンジンを作ることに邁進する必要があるのではないでしょうか。そのためには基礎研究にカネをつぎ込む必要がある。2位じゃダメなんだよ！

その際にネックになるのが英語力なので、文科省、そこなんとかしろよ。

2019年にマスコミに取り上げられ始めたスウェーデンの環境活動家のグレタ・トゥンベリさんにカッカしてる大人が多かった。その理由のひとつは、16歳であそこまで英語でコミュニケーションができることに対しての劣等感ではないでしょうか。

海外の金持ちを「客」にするには、英語力が必要。そして英語力のなさについて前述の（３）（４）（５）のように「だって日本にいればすべて大丈夫だもん」「英語ができなくても大丈夫なほど大きなマーケットがあるから問題ナシ」的に開き直れば、低い給料に甘んじるほかない。

適度な危機感は持った方がいいに決まっている。「取りあえず快適だから」でい続けても成長しないぞ。（著者ブログ「おはよウサギ！」2019/12/16）

「いらなくなる職業」に慌てなさんな

「ＡＩによりいらなくなる職業」や、「ＡＩに使われる人間にならないためにはどうすべきか」みたいな話題をよく目にします。「ＡＩに取って代わられない職種ランキング」みたいな記事や本もあり、自分の仕事がそこに入っているのを確認すると、安堵する。

でも、あまりこうした言説にビビらないでもいいのではないか。我々はインターネットの誕生と普及という人類史上稀有な時代に立ち会い、ネットによって取って代わられた職業がいくらでもあるなか、新しい仕事を生み出してきました。

２０００年代前半まで東京の出版・広告業に従事する人々は、バイク便を使いまくっていました。重いデータの入ったＭＯやＤＶＤ‐Ｒをバイク便でデザイン事務所や印刷所へ送ったりしていたものです。

ところが今は「データ便」や「ギガファイル便」で瞬時に済ませられる。金も掛かりません。バイク便業界にとっては痛手かもしれませんが、大容量ファイル転送サービスやオンラインストレージサービスがどれだけの無駄を省き、時間の有効活用に繋がっていることか。もちろん大容量の動画データさえやり取り可能です。

ある仕事がなくなったと嘆くより、世の進化を喜ぶ方がいいのです。かつて、オフィスにはカーボン紙でコピーをする人がいましたが、コピー機の普及によりこの仕事はなくなりました。企画書をマッキントッシュのＰＣで清書するための「Ｍａｃ屋さん」という人々もいたようですが、１９９０年代後半から各自にＰＣが支給され、「パワーポイント」が使えるようになったことからＭａｃ屋さんもいなくなりました。

百貨店にはエレベーターガールがいましたが、よくよく考えれば「５階、紳士服売り場です」なんて言う人はいなくてもいいし、エレベーターなんて他人様に開閉してもらうほどのものではない。

新幹線にはかつて「食堂車」がありましたが、今では豪華列車「ななつ星in九州」などで見られる他は滅多にない。東海道新幹線なんて16両もあるだけに、両端から歩いて向かったら何分かかるか分かりませんし、何しろ高速ですから食事の途中で目的地に着くかもしれない。その代わり、新幹線の駅で販売されている弁当は本当に充実していますし、ワゴン販売も豊富な品揃えで便利です。食堂車の料理人と給仕人の人件費を払うよりも弁当を納入してもらう方が合理的なのでしょう。

こうした「○○の仕事は終わりだ」的言説は我々編集業界でもよく言われます。現在ホットなのは、「紙メディアの仕事はもう終わる」で、続々とウェブメディアに新聞社や出版社から人材が流出している。ただ、無駄な焦りと感じることもある。会社が潰れるまでその人はいてもいいんじゃない？　と思うのです。

世の中って案外保守的です。子供の頃、21世紀がきたら相撲も演歌も廃れると思っていましたが、相撲はあれだけ不祥事があっても連日満員御礼、氷川きよしや山内恵介のような「若手」演歌歌手がキャーキャー言われ続けている。

あまり慌てなさんな、とＡＩ危機騒動に対しては思うこととしきりです。（2018/9/27）

「お友達」はここまで叩かれるべきなのか？

加計学園をめぐる問題で、安倍晋三首相と「腹心の友」加計孝太郎理事長の関係がしきりと問題視されました。私がモヤモヤしたのは、今回の問題はさておき「友人」や「普段からの仲の良さ」をビジネスに持ち込むことがここまで叩かれる点についてです。加計学園のことは一旦切り分けてください。

というのも、私が広告代理店の会社員だった時も、「○○部長はクライアントの宣伝部長としょっちゅうゴルフに行ったりして食い込んでいるから今回の競合プレゼンは出来レースだぜ」なんて話を時々聞いていました。結局、アイディアや成果にそれ程の差がない場合はその後の仕事がやりやすい方を選ぶものです。

私も、自分が関わっているネットニュースのサイトで某芸能人の悪口を掲載したところ、ライターが血相変えて「ヤバいっス！　事務所が激怒してます！」なんてことを言ってきた。担当者名を聞いたらたまたま知人だったので、すぐさま彼に電話をし「ごめんなさい！　やり過ぎました！　もうこんなネタは書きません！」と言います。すると

「なんだよ、中川さんだったのかよ、最初から言ってくれれば良かったのにさ。まぁ、今回は貸し作ったから、次、なんかあったら頼むよ」ということになりました。

この会話の本質は「ウチが宣伝したい案件を今度、1回無料で掲載しろよな。オレとお前の仲だろ、分かってるよな」ということでしかありません。逆に、自分が発注するライターも「お仲間」のライターばかりで、それなりに満足いく結果がもたらされるので、特段新しい人を探す必要がないと考えています。

ビジネス上の「お友達（＝やりやすい相手）」というのは、あらゆる業界で存在するのではないでしょうか。だって、医者にかかろうとしても「紹介状はあるんですか？」なんて聞かれたり、問診票に「紹介者」の欄があったりする。いきなり地方都市で家を借りようとしても、大家からは「あなたは元々この土地の人間じゃないでしょ？」なんて言われてしまう。

役所がかかわる件については、「税金を使うんだからマズいだろう」という話には一理あるものの、野党側が批判の最大の根拠とする「お友達だから」は、通常のビジネス的観点からするとよくあること。別の点を重要視しても良かったと思います。役所なんて談合したり天下りしたり、完全に「お友達人事」「お友達商売」をやりまくってるわけでしょう。

当時追及していた野党にしても、民進党（当時）の場合は蓮舫代表（当時）の下に「仲のいい」野田佳彦氏が幹事長になった（辞職表明済み）わけですし、人事も含めて、相性って良い仕事をするうえでは重要なはず。蓮舫氏が「つまらない男」と評した岡田克也氏に幹事長を打診したら体よく断られてしまいましたし、結局岡田氏は蓮舫氏と仲が良くないのでしょう。

小学校の先生のように「おともだちとはなかよく」みたいなことは言いませんが、人間は感情のある生き物なだけに、「なんかあいつ嫌い」「なんかあいついいヤツ」程度で巨額のカネが動くことは多い。プロ野球のコーチ人事とか相撲の理事長選挙なんてそんなのばっかりでしょう。これが物事をスムーズに動かすのでは。（2017/8/17・24）

時代は常にネガティブだった

今日も「不寛容だ」「息苦しい社会だ」「タブーだらけ」といった意見がネット上には多数書き込まれています。しかしながら、同様の表現は、20年ぐらい前も「バブル崩壊ブなのです。

高度成長期とバブル時代は明るかったと識者は言いますが、これも怪しい。高度成長期には進学できない人が多かったし、街は不衛生だった。バブル期は一部上場企業社員や金融関係者や彼らからおごってもらう女子大生はウハウハだったでしょうが、その他の人は格差を感じ、モテない人々は生きづらさを感じていた。「明るい時代」など、人間の有史以来、滅多にないのです。いつでも不満はあるのです。

というわけで、昨今のキーワードが「タブー」と「不寛容」とされていますが、そんなわけがないのです。たとえば、私が子供だった１９８０年代前半、茶髪は不良の象徴でした。モヒカン刈りは、荒くれ者ばかり出てくる漫画『北斗の拳』の悪党軍団の定番の髪型で恐ろしさの象徴です。それが今や「ソフ

トモヒカン」なんて言葉もあるし、モヒカン刈りや、髪の毛の一部を丸刈りにするツーブロックという髪型は単なるオシャレです。しかし当時は、高校生でピアスや化粧をしていたら不良の象徴でしたし、男性がピアスをするのもご法度。学校の始業時間に間に合わなかったら、先生に校門を閉められ、そこに頭を挟まれて死亡する事故が発生する有様でした。

今の時代「不良」として見てもらいたかったら大変です。眉毛を完全に剃り、顔中ピアスだらけで、全身刺青、タバコを3本同時に吸い、5歩歩くごとに唾をペッと吐く。これぐらいしなくては不良扱いしてもらえない。元々不良は学内の不寛容な規律を破ることを目指し、ボンタンを穿き、長いスカートを穿き、パンチパーマにしていた。

しかし、過度の管理教育と詰め込み教育を反省し、ゆとり教育に切り替えるとともに、格好も随分と自由になった。これって完全に寛容ですよね。

あとは、インターネットも寛容さをもたらしました。昔は何か主張する場合は、暑い中、道行く人の冷たい視線を浴びながらメガホンを持って声を嗄らし「消費税は廃止しなくてはなりません！　消費税は金持ち優遇の制度です！」なんてやっていたところが、今では「マジで消費税10％とか勘弁してほしい。8％でも生活厳しくなった」なんてことを、鼻くそほじりながら10秒もあればスマホで書ける。これも言論に対して寛容になったといえましょう。

昨今の不寛容の例で顕著なのが、相次ぐ不倫に対する世間のバッシングですが、１９８９年、在任わずか69日の宇野宗佑首相に対するバッシングも凄まじかった。不倫がバレた宇野氏及び宇野内閣叩きの材料に使われ、結局参議院選挙で「マドンナ旋風」が起きて自民党は惨敗。宇野氏は辞任しました。不倫に対して現在と同様、国民は寛容ではなかったのです。

何かに不寛容になったとしても、別のものには寛容になっているのです。だからプラマイゼロなのではないでしょうか。（2017/5/25）

蘇ったマスクのトラウマ

マスクこそ「思想」である。コロナ禍の２０２０年4月第2週、私はついに「圧」に負けて外出時にマスクをつけるようになりました。かなり遅いですが、さすがに周囲の人に無用な心配を与えるのもどうかと思ったので仕方なく。ここに至るまで、妙な見栄と美意識と、「思想」があったように思います。

4月第4~5週になってまでつけていない人は、この3つが私よりも強いのでしょう。この頃は、外に出るとマスクをつけている人が大多数ですが、2~3割ほどつけていない人も見られます。

世の中には「マスク不要論者」がそれなりの人数、存在します。それが日本や韓国では元々少なく、欧米各国ではほとんどでした。一体これはなぜかというと、「格好」「外見」としてのマスクが恥ずかしくてしょうがないんです。私は今でもそうです。

恥ずかしいなんて、イケメンでもなんでもないのに余計な自尊心持ってるんじゃねえよ、ケッ。と思われるでしょうが、私にとってそれは「水玉模様のシャツ」「ダウンジャケット」「ネクタイ」「旅館の浴衣」「チョッキ」、そして「マスク」です。

とにかくこれらの格好をしている自分がたまらなくイヤなのです。自意識過剰なのは分かるのですが、あぁなんでオレこんなにダサい格好しているんだよ。普段のオレはもっとまともな格好しているんですからね、ねっねっ、皆さん、そこんところ知っておいてね、なんて誰も気にしていないのに思ってしまいます。

こうした感覚はなかなか理解してもらえないでしょうが、東日本大震災の時の蓮舫議員の姿を見て、私は「あなたとは考えが合いそうだ！」と思いました。厳しい表情を浮かべて緊急対策会議に次々と駆け付ける閣僚たちは、全員青い作業服を着ていました。その中で蓮舫さんだけは作業服の襟をバシッと立てていたのです。彼女は普段のスーツでも襟を立てていますが、作業服をそのまま着ることに強烈な嫌悪感を覚えたのかと思います。

勝手な想像ですが、秘書が「これを着てくださ い」と手渡してきた時、「これ、本当に着なくちゃいけないの？　だって私、瓦礫の撤去するワケじゃないのよ?」と言ったかもしれない。「着てくださ い。決まりです」と言われ、渋々従うも、「何よこれ、イベントスタッフのバイトみたいじゃないのよ」とも思い、抵抗と恥ずかしさを少しでも減らすために襟を立てたのでは。蓮舫さんはパーティーの「来賓が胸につける花」や「名札」も嫌いだと思います。なぜなら私も嫌いだからです。ちなみに小池

百合子東京都知事もコロナの際、作業服の襟を立てていました。

さて、なぜマスクがここまでイヤになったかということをご説明しましょう。

原因は『包丁人味平』という漫画に登場した鼻田香作。「カレー将軍」と呼ばれるこいつ、鼻だけにマスクをつけていて、「ブラックカレー」なるものを大ヒットさせる。たいしてウマくもないのに客が毎日食べに来ますが、実はこれには麻薬が入っており、客は中毒になっていたのです。鼻田自身も薬物依存で最後は狂ってしまう、というキャラでした。こいつを見て「マスクだけはつけない」という思想を抱いて40年、コロナはそれをいとも簡単に破壊してくれました。（2020/5/7・14）

第6章　ネットで文句つけ続ける人生って

叩かれ続ける「オッサン」よ蜂起せよ

スーパーで買い物をしていると、近くにいた年の頃65歳というレジ待ちのオッサンが突然店内全体に響き渡る大音量でくしゃみをしました。

「ヘークン、ヘーック、ヘーックション！」

その瞬間、店内には「新型コロナのオッサンがおる……」と緊張が走り、買い物客は彼から離れます。その後もオッサンは同様のくしゃみを続け、そのたびに客も、「もっと離れなくちゃ」とばかりに店の奥の方へ行きます。

私が買い物を終え、レジに向かおうとしたところ、オッサン、なんと、店を出るタイミングで再びヘーックションとやりました。せめて外に出てからやれよ。

この時一緒にいた美女は、「あのオッサン、絶対わざとやってるね」。

さすがにそんなことはないだろうと思いつつも、たいした量の買い物でもないのに2～3分もあの場所にい続け、わざわざ自動ドアの内側で盛大にくしゃみをするあたり、「ワシ、人々を不安にさせたいの、ウフ」とか考えるクソサディストオッサンの可能性もあるのかもしれません。

さて、こうして書いてはきたものの、文章の世界においても「叩いていい存在」「叩いてはいけない存在」というものがあることをここ数年日々実感しています。「ポリコレ」と略される「ポリティカル・コレクトネス」ってやつがその背景にありますが、「カネ」も要素のひとつ。マイノリティや弱者に対しての批判はご法度だけど、強者に対しては何を言ってもいい。ただしこれはある意味、逆差別の構造です。

今の時代、唯一のターゲットとして叩いていいことになっているのは「オッサン」です。これが社会的コンセンサスです。1980年代後半には『オバタリアン』という四コマ漫画があり、中年女性がいかに傍若無人に振る舞うかがデフォルメして描かれて、流行語にもなりました。大仏へアーでスーパーの試食も容赦なく食べ、電車の中でも大声でわめき散らすといった非常識な中年女性が主人公です。

多分、こんな漫画は今は成立しません。

今の時代、（カネがないと思われている）女性、子供、高齢者、若者を叩く表現はご法度となり、こうした人々が犯罪的行為をしたり不倫をした時のみ、ようやく叩くことができる。まあ高齢者でも男性で金持ちだったら叩いていいという不文律はあります。ドナルド・トランプ氏や「上級国民」と話題になった、池袋暴走事故の加害者・飯塚幸三などが典型例でしょうか。

ＳＮＳの発展もあり、誰もが発信できるようになった今、「属性」により叩いていいかどうかを皆が考えているわけです。もしも叩いていい属性以外の人物に批判的な言動をすれば、自分が即座に炎上してしまう。

正直言って、「なんでオレらだけ叩かれていいんだ！」とオッサンたちが反撃の狼煙（のろし）を上げてもいい状況です。（2020/3/5）

元号をめぐる最もバカバカしい騒動

新元号をめぐり、ネット上でバカバカしい騒動が勃発したことを忘れてはいけません。曰く、独裁者であるアベが自分の功績を誇るかのように、次の元号に「安」を入れるべくＮＨＫやテレビ朝日、ＴＢＳも巻き込んで国民の洗脳を行っていた、という騒動です。

埼玉県朝霞市のある酒屋がネットで新元号を募集したところ、1位は「安久」で１６4通、2位が「安永」で１３０通、3位が「栄安」で68通という結果に。10位が同数だったため、11の新元号候補のうち、上位7つに「安」の字が入ったとＮＨＫが報じました。テレ朝とＴＢＳも同様の調査結果を報じたところで、反アベ派の皆様方からツイッターで怒りの狼煙が上がったのでした。

さらには、ＮＨＫが静岡県沼津市の水族館のアシカが口に筆を咥え、新元号を書く練習をする様子を報じましたが、この時も「安」が書かれていたことから、異議が呈されたのです。

おかしいのは、この3局は過去散々ネトウヨから「反日報道機関」扱いされてきたという点です。今回は反アベの皆様方が、「アベの犬に成り下がった」との意見を書き込んでおり、どっちもまるで同じ主張をしているわけです。私もこのバカ騒動に乗っかり、ブログで「令和〈Reiwa〉はReturn to the Era of Imperialism with Abe,アベと共に帝国主義時代に戻ろうの意味である」と書き、そこそこ話題になりました。

漫画家・東海林さだお氏が描いた漫画にこれを連想させるものがありました。まったくモテない男が、じゃれ合いながら飛ぶ2匹の蝶に激怒し、さらには、「おしべ」と「めしべ」両方がある花にも怒りを表明する。今で言う「カップル」は当時「アベック」と呼ばれていたことから、アベックを連想させる「安倍」と書かれた表札にも憤怒の表情を浮かべ、挙句の果てには「安倍川餅を連想させる」と自身の部屋にある「煎餅蒲団」に嚙みつくというものです。男の友人が登場して、この流れは論理的である、まだ頭はおかしくなっていない、と安心するのですが、今回の「安」と元号をめぐる盛り上がりについては1970年代のこの漫画を思い出してしまいました。

私はこうした反アベ派や左派の皆様の人生が時々心配になります。それは、アベが退陣した後、「燃え尽き症候群」になるのでは、ということです。基本的に彼らはツイッターでアベのことを悪辣非道な独裁者として扱い、抑圧された市民よ蜂起せよ！　的な主張を飽きず繰り返しています。

しかし、のんべんだらりと生きている私のようなノンポリからすれば、別に安倍氏のことは「それなりに安定した政権を運営している総理大臣」や「毎年総理が代わった時代よりはずっといいわ」としか思えない存在なのです。

実際問題として、2012年の第二次安倍政権発足以来、政権運営のせいで弾圧されたり殺された人なんているんですかね？　いるんだったらさっさと政府を訴えるぐらいやってほしいところですが、そんな動きは見られません。

いやはや、それにしても「安」を元号に入れるな！　ってすごい主張です。「安全第一」「安心」「大安売りセール」「安定の美味しさ」――いずれも良い話ではありませんか。よくよく「安」を考えていくと、おそらく反アベの皆様方は伊藤博文を暗殺した、韓国における「義士」である「安重根」にはシンパシーを感じているでしょうが、今回アベの「安」を否定するのは安重根も否定するということなのでしょうか。まあ彼はただのテロリストですが。（2019/3/21）

ネットには向かない鳥越俊太郎氏

ジャーナリストの鳥越俊太郎氏が79歳になる2019年3月を前にして、ニコニコ動画のチャンネルを開設することをツイッターで発表しました。これを知ってすぐ思ったのは、「鳥越さん、やめて～！」ということでした。

この告知後、鳥越氏は「そこで、皆さんが普段感じている世の中の疑問や私に聞いてみたいこと、議論してみたいことなどを募りたいと思います」とさらにツイート。すると、このツイートに鳥越氏への批判と揶揄が殺到したのです。

多かったのは、2016年の都知事選の時に「週刊文春」に報じられたセクハラ疑惑や、少し前に問題となった「人権派」フォトジャーナリスト・広河

隆一氏による女性への人権侵害に関するものでした。「いいね」や「リツイート」を上回る数のコメントがつき、大多数がネガティブな意見というのはちょっと珍しい。

元々、鳥越氏はネットには向いていない方です。毎日新聞勤務を経て、「まっ、素敵なロマンスグレーのおじさま」的に、テレビで人気のジャーナリストになりました。「桶川ストーカー殺人事件」を同氏が追及した、みたいな話にはなっているものの、実際はジャーナリストの清水潔氏の功績です。それはさておきここまでは、実に華麗なるキャリアでした。

しかし、2006年、韓国からやってきた、「市民」が記事を書くニュースサイト「オーマイニュース」の初代編集長就任時から風向きが変わる。当時別サイトの編集者だった私は、強力なライバルが来た、と数日間は恐れたものです。ですがすぐに与し易い相手と分かります。何しろネットではウケが悪いのに政権批判的な原稿を載せれば良いと考えていたフシがある。

同氏は同サイト創刊前に「2ちゃんねるはゴミ溜め」と発言、炎上した経緯があったのを意識してか、「異論、反論ドンドン書いて下さい！　そんな活気のあるメディアにしようではありませんか!!」と同サイトのスタートを高らかに宣言しました。

　ただサイト運営が始まると、鳥越氏は記事へのコメントやネット民に呆れるような姿勢を見せ、体調不良なども理由に編集長職はすぐに辞めてしまいます。この段階で同氏はネットに「向いていない人」という評価が定着しました。

　２０１６年の都知事選出馬と惨敗後は、ウェブメディア「ハフポスト」の取材にこう答えています。

「あなたたち（ハフポスト日本版）には悪いんだけれど、ネットにそんなに信頼を置いていない。しょせん裏社会だと思っている。メールは見ますけれど、いろんなネットは見ません」

「僕はペンの力なんか全然信用していません」

　この時もネットが好きな人から総スカンを食らうばかりか、支援者からも失望の声が出ました。

　鳥越氏は、これらの発言でも完全に「ネット向き」ではないことを認めているのに、なぜ、先述のようにツイッターで意見を募ったのか。スタッフはなぜコメント欄の荒れっぷりを予想できなかったのか。私が同氏の側近だったらこんな企画はやらせません。なぜならもはや同氏へのネットでの逆風は変えられないからです。

ちなみに13万人もフォロワーがいることになっている同氏のアカウントですが、その後この原稿を書いている時点まで、ツイートはわずか10回しか行われていません。

（2019/2/21）

どんなに良い話を書いても非難される

ネットに何かを書いたら、「バカ」「つまらない」「小学校からやり直せ」みたいな辛辣な言葉を浴びせられた経験を持つ方もいるかもしれません。でも、あんまり気にしないでください。これはネットの「仕様」であり「文化」なのです。ネットという場所は、どんなに良い話を書いても非難されるもの。この15年ほどネットに文章を出し続けてきた私など、何万回言われてきたことか。いまや、こうしたコメントがないと寂しくなるほどです。

先日ネットで「これまでに出会った最も優秀な学生」について書きました。内容は、体育会ラグビー部所属の学生・A君が私が勤務していた広告会社の面接で見せた受け答えやエピソード等を絶賛するものでした。その模様を伝えるとともに、面接官が実際に考えていることを伝え、学生たちの「清廉潔白なことを言わなくてはいけないのかな?」「サークルの副幹事長をやった経験を言わなくてはいけないのかな?」みたいな思い込みをぶっ壊し、「ありのままのあなたでいい」と伝えることを意図したものです。

寄せられたコメントの30%ぐらいは「参考になりました！」「就活生は読んだ方がいい」的なものですが、残りは私に対する罵倒と、文中に登場する「優秀な学生」への罵倒であり、記事のサムネイル画像で使った集団面接の写真に登場するリクルートスーツの女子学生の太ももが素敵、みたいなコメントだらけです。

そんな批判的な意見の数々を紹介しましょう。

「結局旧来的な体育会偏重のクソ採用」
「彼がその後どうなったかを書いていないから信憑性なし」
「面接官が学生に感心している時点でこの程度の会社なので行く必要なし」
「この学生が語っている話は創作だ！」

また原稿には、面接官に対して「知識勝負」を仕掛ける学生は損をするということも書きました。実際面接では「学園祭で企業とタイアップしたカップラーメンを完売した」みたいなエピソードを武勇伝として聞かされることが多かったので、「そんなもんはこちらは何度も日常業務としてやってるから『すごいでしょ！』なんてやっても鼻白むだけ。無駄に『知識勝負』を仕掛けてくるんじゃねぇ」と伝えたかったのです。

すると、「これまでの経験がその先に続く、という発想がないのかよ、このクソ老害」みたいな反論が来る。いや、私は、「いちいち面接官に対してマウント取るんじゃない。それは嫌われるぞ」と面接で落ちやすい行動をしないように忠告しているだけなのです。

さらには私が「どうぞお座りください」と言ったことについても「これはパワハラだ！」なんて反応まで出てくる。私の経歴を知っている人からは「こいつは博報堂を4年でドロップアウトした程度のヤツ」なんてことも書かれます。いや、自発的にやめたし、2019年には業務委託で復帰したけど。もう、こうなったら絶対に叩かれないであろう文章を書くか。

「僕が飼っているネコのニャーちゃんはいつもかわいいの」

いや、これでも無理だな。「犬が好きな人への配慮が足りない！　こんなクソ文章を書くライターは死ね」が来るね。まあお前らは、そうやって文句つける人生を一生送っとけ、だ。（2019/2/7）

「情報弱者」の方が楽しくないか？

「情報強者」の方が、情報収集に疎い「情報弱者」よりも上である、と語られがちですが、情弱の方が圧倒的に良いことがあります。それは映画『ボヘミアン・ラプソディ』をめぐってのことです。

同作の主人公たるフレディ・マーキュリー及びクイーンについてまったく思い入れがなかった人ほど、純粋に作品を楽しんでいる印象を持ちました。知人男性はこう言います。

「すげー面白いって評判だったから行ってきたけど、本当に良かった！　映像もすごいし、何より音が大事だから劇場で観るのがいいよ！　次は『極上音響』の劇場で観る！　クイーンのことは何も知らなかったけど、超いい映画！　知ってる曲はほとんどなかったけど、いい曲ばっかり！」

この「極上音響」は「日本一音にこだわる映画館」を謳う立川シネマシティが上映した特別回で、野外音楽イベントなどで設置する大型スピーカーを使用、ライブの音源をより実際に近いサウンドで聴けるというものでした。

一方、ツイッターを見ていると、リアルタイムでクイーンのことが好きだった人達が妙に冷ややかです。1970年代当時はレッド・ツェッペリンやローリング・ストーンズといったロックの本流の全盛期。少女漫画から飛び出してきたようなルックスのクイーンは正統派のロックバンドとは捉えられていなかった、と彼らは言います。そして「我々ファンはあの時虐げられていたのに、映画がブレイクすると『当時からワシは詳しかった』と言い出す『にわか』が登場するのがむかつく」と。

これは、私の50代~60代の知人も言っていることでした。「ワシは40年来のクイーンファンなのに、今回初めてクイーンを知った連中がしたり顔でクイーンを語りおって！けしからん！」

実際、彼らは映画で紡がれるエピソードの数々も熟知しており、「にわか」な人々が「『ボヘミアン・ラプソディ』は約6分もあるからラジオでは流せない、とマスコミが冷淡だったんだってさ」なんてことを言うと「それは昔から有名な話（ビシッ！）」などと言い放つ。彼らからすると、にわかファンが目をキラキラさせて蘊蓄を語る様には憤りを感じるのでしょう。

また、私のような1991年、フレディ・マーキュリー死後にファンになった「半にわか」もこれまた余計な知識があるせいか、同作を楽しめません。年上世代ほどではないものの、「ワシらの方が思い入れがある」というバカげた感情を抱くからです。

劇場で他人と共に観たくないとも感じます。それは、2009年のマイケル・ジャクソンが主役のドキュメンタリー映画『THIS IS IT』の経験があるからです。周囲には涙する人が続出するとともに、終了時に「ブラボー」と叫び、立ち上がって拍手をする男が現れ、スタンディング・オベーションを促します。

おいおい、演者がいるわけでもないのにやめろよ、と思ったのですが、クイーンの映画でも同様のことが発生していたようです。これがイヤです。そして周囲で繰り広げられる「知識量マウンティング合戦」。オッサンが若い女性に豆知識をブツブツと囁く様が展開され、そいつと目が合うたびに「ワシの方がMJに詳しいぞ、ドヤ」と言われているような気がしてしまいました。

いっそのこと、まったく知識がないレディー・ガガの自伝的映画でもさっさと公開にならないか。それだったら純粋に楽しめるのに。（2019/1/3・10）

子育てブログ、子供の許可がない問題

他人のブログをひたすら見続ける仕事を始めて15年。芸能人、一般人にかかわらず「子育てブログ」ジャンルが定着し、ブログのネタとして子供の成長は欠かせないものになっています。成長記録をつづることで、後輩ママの役に立ちますし、悩みを書けばコメント欄で助言ももらえます。

子育て中ではない読者もほのぼのとした気持ちになれますが、もしも自分のことが親に毎日のように勝手に書かれていたら……と考えるとゾッとします。あぁ、自分が赤ん坊の頃や幼少期にブログがなくて本当に良かった。

実際、次のようなことまで親に書かれてしまうんですよ。

「毎日お風呂の中でうんちをしてしまいます」

「頭の形がいびつなので矯正ヘルメットをつけました」
「今日、初めてうんちをしたことを自分の言葉で伝えました」
「5歳にしてようやくおむつがはずれました。これまで長かったです」

ママ友同士でブログを読み合っている場合、小学校の同級生に赤ちゃん時代からのあれこれがすべて筒抜けになってしまっているかもしれません。そうすると「うんちマン」や「5歳おむつマン」「矯正マン」といったあだ名に加え、「おーい、プールでうんち出すなよ！」なんて揶揄されるかもしれません。

問題は、ブログ執筆者が子供の許可は得ていない点です。ある程度の年齢に達した時に子供が親のこの行為を否定的に捉える可能性もあるわけです。

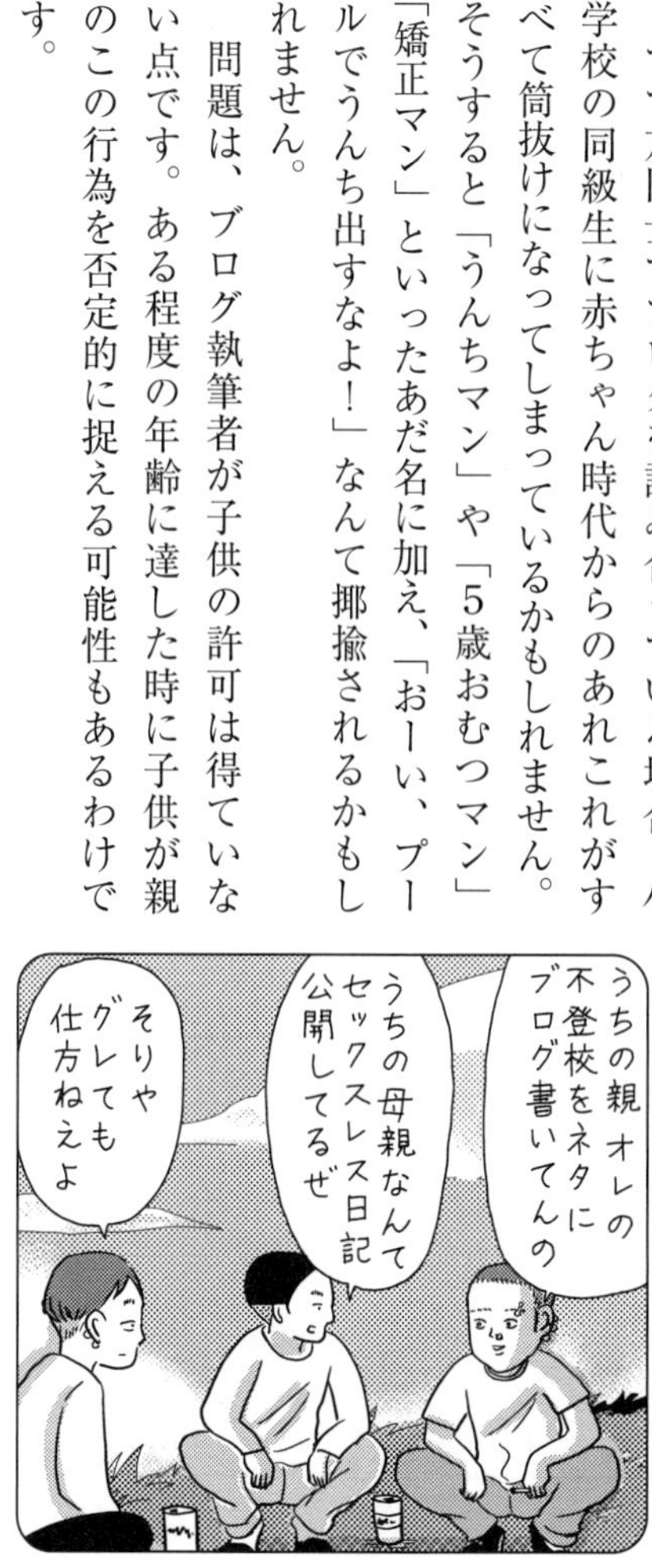

私だったら絶対親に文句を言います。

「なんで徒競走でビリだったこと書くんだよ！」
「なんでおならが出やすい体質だってバラすんだよ！」
「ピアノを習ってたことがバレたじゃないかよ！」

最後については補足が必要でしょう。１９８０年代、小中学生男子がピアノを習っているると「女みてぇなヤツだな」とバカにされるのが常でした。だから40人クラスに２人ほどいるピアノ男子は教室に通っていることをひた隠しにしていたのでした。

子育てブログには、時に弱音を吐いたり、苛立ちのあまり子供を怒鳴りつけてしまったことなども書かれますが、これは慰めてもらいたいから。子供はうんちを漏らしたことや屁をひり過ぎることなどを赤裸々に暴露されるのに、親はあくまでも綺麗ごとしか書かない。

「マジ殺してやろうかと思った」なんてことは絶対に書かれないのです。「子供のために頑張る素敵で優しいママ・パパ」を作るために子供が使われている。書くことは否定しませんが、将来子供が嫌がる可能性は心のどこかで認識しておいた方がいいのでは。

あと、写真にしても、目の部分にボカしやワッペンを入れて隠すのならまだしも、一切隠すことなく出す親もいます。その成長過程を、誰かが後でつぶさに観察すれば「こいつ、中学卒業のタイミングで整形したな」なんてこともバレてしまうのでご注意を。我が子の恨みを買う行為は慎みたいものです。（2019/8/15・22）

２０１８年６月24日、ウェブからのテロリズム

知り合いが刺殺されました。福岡で41歳の「ＩＴセミナー講師」「有名ブロガー」男性が刺され亡くなったニュースを記憶している方、どれだけいるでしょうか。

犯人は、自分の気に食わない文章をネットに書いたりコメントをしたりした人に「死ね」と書くいわゆる「荒らし」の男でした。私の知り合いは彼から「荒らし」行為をされ、運営側に迷惑行為として通報し、場の秩序を保とうとしていました。それを逆恨みしたと見られています。

亡くなったＨａｇｅｘ氏とは何度か一緒にトークライブを行い、飲んでもいます。私

が定期的な「ネットニュースＭＶＰ」イベントを引退し若者に譲るにあたって、後継者である2人の女性の後見人として一緒の出演を依頼したのが彼でした。イベント初体験の2人がネットのモヤモヤする事象を紹介し、それに対し彼が解説を加える。「ネット界の木村太郎」的役割を見事にこなしてくれ、満場を沸かせてくれました。

彼がいたからこそ若い2人があそこまで動員でき、イベントを無事成功させた。本当に感謝します。

Ｙａｈｏｏ！ニュースのトップにも彼の名前が出てきて、原稿を書いている瞬間も心が千々に乱れていました。しかし、残った我々は生きなくてはならない。

人の死というものは、悲劇的であればあるほどショックは深まります。高齢者が老衰で亡くなったりする場合は「よくぞ天寿を全うした」「大往生だったたね」となり、それほどの悲しみはないでしょうが、「若い」ことに加えて今回のように「事件」だったり「自殺」だった場合には悲しみは深いものとなります。

２００７年、私は婚約者を自殺で失いました。元々鬱病を患っており、それが原因で失職したり入院したりもしたのですが、結局自ら命を絶ってしまいました。とある大学のキャンパス内の廃屋で遺体を発見したのは私です。

以後、後追い自殺をするかどうかなんてことも考えました。駅のホームで電車がやってくると「時は今！」と飛び込みたくなる衝動に駆られます。まさに「今でしょ！」状態です。

さすがによろしくないので、電車に乗る時は、必ずホームの椅子に座り、両手で椅子の背もたれを摑んで背もたれの後方に頭を寄せ、目をつぶります。電車が停止したところでようやく前を向き、電車に乗る。

一緒に行った場所は、彼女との楽しい思い出が残っているので辛くてたまらず、もう行けません。夢にも彼女はしょっちゅう出てきますが、自転車に乗って向こうからやってきて、笑顔で通り過ぎるだけだったりする。

頭の中を占めるのが彼女への思いと後悔の念だらけなのですね。こんな日々を1年ほど続けた後でようやく「もう彼女は戻らない」「オレは次に進む」と開き直り、そこで『ウェブはバカと暇人のもの』（光文社新書）を書くことができたのでした。

その最終章はネットにかまけ過ぎ、最愛の女性を失った私の反省を暗に書きました。彼女の存在は書かぬまでも、「死」という言葉を4回意図的に入れています。

今回、彼が亡くなったのはネットがきっかけでしたが、ネットと距離を置く人生をそ

ろそろ我々は目指すべきでは、と心底思いました。あまりにも余計な人間との接点が増えてしまう。（2018/7/12）

家族が「売国奴」「反日」と言い始めたら

子供にネットの適切な使い方を教えることは重要な課題となっていますが、ネットに慣れていない中高年にも同様の教育が必要です。それもできるだけすぐに。

奈良県安堵町の59歳の町議会議員が、フェイスブックに差別発言を書き込み大炎上する騒動が起きました。謝罪のうえ、せっかく２０７票を得て初当選した議員を辞職したのです。「売国議員・その４」と題した日記には、野党国会議員の名前を挙げながら、

「極悪非道の在日Ｋｏｒｅａｎ」

「朝日新聞社と共に、従軍慰安婦があたかもいたかのように捏造して、日本と日本人の名誉を著しく毀損した！　この罪は、万死に値して余りある！」

「両足を牛にくくりつけて、股裂きの刑にしてやりたい！」

さらには首相経験のある議員を「論外のアホである！　ポアして欲しいと思う」と書いたのです。ポアはオウム真理教用語では「殺害」です。

この件について元町議会議員は共同通信の取材に「言葉のあやだ。自分の投稿にファンがいて興奮して書いた」と述べたそうです。

私がこの件を問題視しているのは、彼が還暦を目前にして突然いわゆる「ネットde真実」に目覚めたことが分かったからです。その特徴としてはいわゆる「ネトウヨ言説」を真に受け、「在日コリアンはこんなにも極悪非道なのだ！」「国会にもその魔の手が入り込み日本転覆を画策している」と主張する点にあります。

ここ数年でネットに触れるようになった中高年には、ネットに書かれていることはあまりにも新鮮なことだったのでしょう。何しろ新聞に書かれていな

い在日や韓国の悪事が大量に書き込まれていて、憂国の同志達が血気盛んに在日・韓国叩きをしている様を見ることができる。

元議員が、こうした論調の文章を書き込むと、「あなたこそ日本の未来を作る偉大なる政治家です！」みたいなホメられ方もしたのでしょう。

私が彼を「ネットde真実」に目覚めたと断定したのは、今回名指しした議員の一人の本名が「趙春花」である、という伝統あるガセネタを書き込んだからです。これは福島みずほさんのことです。ネットの世界では「こいつは反日」という認定をした場合は在日コリアンと〝指摘〟し（これを「国籍透視」と呼ぶ）、「日本人ではないからこんな言動を取るのだ」というロジックに無理やり繋げるのです。

故・土井たか子さんも、ネットでは売国奴扱いを受け、本名「李高順」ということにされました。東京五輪エンブレムの「パクリ疑惑」を指摘されたグラフィックデザイナーの佐野研二郎さんも「日本人はパクるわけがない。パクるのは在日だ！」と「朴尊鎮」ということにされました。

こうしたガセネタが出たところで、ネット情報を繋ぎ合わせて適当な記事を量産する「トレンドブログ」と呼ばれるクソサイトが「佐野研二郎の本名は朴尊鎮で在日韓国人であるという話が持ち上がってる」と書き、アクセス数稼ぎを目論むわけです。何が「話が持ち上がってる」だ。バカがガセネタ出して騒いでるだけだろ！　という話なのですが、ネットに慣れていない高齢者ほど、こうした情報を信じてしまう。

家族や友人が突然「反日」とか「売国奴」などと言い始めたら、「ネットde真実」に毒された可能性があります。その時はキチンと注意してあげましょう。（2018/2/15）

「ブログ」15年史を振り返る

私のようにブログ運営の仕事を手伝っていると、担当者が20代中盤～30代前半ということが少なくありません。すると、こちらが言うことがチンプンカンプンという事態になることがままある。「えっ！　そんなことあったんですか！」みたいな話ばかりです。

２０００年代中盤、書籍のＰＲにおいて大事だったのは「書評ブロガーに書いてもらう」ということでした。当時のブログの世界では「グルメブロガー」「テック系ブロガー」などと並び「書評ブロガー」がいて、書籍編集者はいかにして彼らに取り上げてもらうかを考えていたのです。

その頃、アマゾンのユーザー数は少なかったのですが、私の人生初の書『ＯＪＴでいこう！』（２００４年、翔泳社）は某有名ブロガーに取り上げられ、最高順位19位までいったことがあります。それほど影響力が強かった。ところが今のＩＴ系の若者は書評ブロガーの存在をまったく認識していない。

他にも、ごく当たり前の歴史認識（笑）なのに、若者から驚かれた話題をいくつか紹介します。

・辻希美はかつてネット住民に叩かれまくり、ブログを書くのを嫌がっていた
・企業はブロガーを招きイベントを開催しまくっていた
・ルー大柴の復活ブレイクのきっかけはブログだった
・コメント欄では「たてよみ」（冒頭の1文字から縦に読む）で悪口を書くのが流行
・「トラックバック」機能は夢の新機能だと思われていた

読者の皆様にとってもチンプンカンプンかもしれませんが、かつては、ブログが「一般人の夢をかなえるツール！」「もうテレビＣＭは古い！　これからはブログを企業の

マーケティングに使う時代！」といった言われ方をしていたのです。

こうした熱狂は去りましたが、がんで亡くなった小林麻央さんが自身の生きざまをブログに綴り、多くの人に影響を与えたような例もありますし、副業で始めたブログのアフィリエイト（広告）収入が本業である会社員としての給料を超えた、なんて人もいます。

メディアの世界というものは移り変わりが激しいのは、テレビも同様です。『とんねるずのみなさんのおかげでした』（フジテレビ系）のキャラ「保毛尾田保毛男（ほもおだほもお）」が特番で28年ぶりに復活したらフジテレビに抗議が殺到し、同社が謝罪する事態になりました。「昔は大丈夫だったのに」という声が出る一方、「昔は傷ついた人が言えなかったんだ」という声も相次ぎました。

雑誌も例外ではありません。押切もえや蛯原友里が専属モデルを務めていた頃の『CanCam』は約80万部を売っていましたが、これは２００６年の話。今は10万部台とされていますので、これも懐かしい話の類です。

先端的だと思われるＩＴ業界でも、もはや私のような昔話をする「旧来型」の人間も出始めております。そろそろ若者に追いやられるか、と日々恐れながら生きております。

（2017/10/26）

米国で暮らしての差別感覚

世界中に広がる黒人差別反対の抗議活動が、略奪や放火・店舗破壊などの暴動にもなっています。ネット上では「ここで異議を呈さない人間は差別を容認する差別主義者！」みたいな論法がまかり通っています。

①差別に反対、②でも暴力を行使して無関係な商店を破壊するのには反対――こう表明すると、「黒人は長年の差別に苦しんでいたのだから暴れるのは当然。お前は差別主義者だ」というレッテルを貼られます。

「いやいや、①と②は共存する考え方でしょうよ」というのは通じない。かくして「意見を言わないと差別主義者」「意見を言っても差別主義者」ということになり、「オレの考えと異なる者は差別主義者」という「オレ様基準」が適用されることになるわけです。

こうなると「面倒だからこの件からは距離を置こう」となり、差別問題に高い関心のある人に対して恐怖を感じ、一般層が敬遠するようになる。ここまで書いた段階で私も差別主義者認定されることでしょう。

私は１９８７年から92年までアメリカに住んでいました。当時の黒人差別の状況を振り返ってみたいと思います。マイケル・ジャクソンの『Man in the Mirror』がヒット、ＰＶ動画にはキング牧師やＫＫＫが登場するほか、核実験や世界の紛争などのシーンが次々にフラッシュバックで映し出されました。マイケルが、差別撤廃と世界平和を願っていたことがよく分かるＰＶです。

黒人のスパイク・リー監督が人種差別と衝突を描いた映画『Do the Right Thing』『マルコムＸ』もヒットしていました。

アメリカ史の授業でもsegregation（隔離政策）や「リトル・ロック高校事件」には長い時間を割いていました。後者はどういうものかというと、１９５４年、黒人と白人が同じ学校で学ぶ「融合教育」が最高裁で決まった。それから3年後、アーカンソー州リトル・ロック市の高校に、州知事が州兵を派遣。それは黒人生徒の登校を阻止するとともに、登校反対派市民が学校を囲んだ事態鎮圧のためでした。それでも登校した９人の黒人生徒は「Little Rock Nine」と呼ばれ、象徴的な存在として大きく取り上げられたのです。

あそこまで教育をしても、数々の作品で差別撤廃を訴えても、結局アメリカの差別意識は変わらなかった。高校でも基本的には白人は白人同士でつるみ、黒人は黒人同士でつるんでいました。表立って対立はしないものの、居住地域も違いましたし、やはり差別は存在したのでしょう。

不思議だったのが、私がいつもつるんでいた男達です。ドイツ系白人4人、イギリス系白人1人、黒人2人に日本人の私の合計8人で、妙に波長が合ったのです。アメリカの高校では、学校単位で数学、物理、化学、国語、歴史など各教科の代表選手を出し、他の学校と競う州大会がありました。私は数学の代表として参加したのですが、彼らとは「勉強が好き」という共通点で繋がっていました。

しかしもっとも共通していたのは「モテない」という一点。「モテないオタクのガリベン」というイメージから、白人も黒人も我々を見下していました。「非モテ」は人種を超えた嘲笑の対象なんだな、とこの時に感じたものです。(2020/7/2)

第7章　ＩＴ小作農からの8つの提案

「窮地に陥った体験」こそカネ儲けに繋がる

２０１９年8月から博報堂で働いています。私はこの会社を２００１年に退職したのですが、親しい先輩が執行役員に就任したこともあり、ご縁で久々の復帰となりました。もっとも、社員ではなく業務委託で、出勤は週1回。社員からさまざまな相談を受けたり、クライアント関連業務に関わったりしています。

ただ、コロナ禍の影響でイベントやキャンペーンなどが吹っ飛ぶ状況にあり、私の編集者としての能力を広告業界で存分に発揮できる状況にはありません。出勤日も基本的にテレワークとなりました。

一方、今回の復帰で非常に良かったのが、「働き方は自由だ」と改めて実感できたこと。今やクラウドソーシング、内職、フリー、業務委託、派遣社員、契約社員、フリーターなど様々な働き方があり、別に正社員にならなくても、カネを稼ぐ道はあるんだな、と。

ただし、何らかの専門分野があることが必須です。それさえあれば、雇用形態はなんであれ意外と幸せな働き方ができます。

ちなみに広告業界で今、重宝されるのは〝ネットの風〟を読む力です。ＣＭだろうがキャンペーンだろうが、ネットで炎上したら一気に失敗ということになってしまう。私はネットニュースの編集者をこの15年ほどやり続け、今でも月に８００～９００本ほどの記事を編集しています。もはやいずれの記事についても、アップする前からネットの反応は大抵予想できます。これをいかに広告やＰＲに結び付けるかを期待されて雇ってもらったわけです。

社会構造が複雑化する昨今、企業は他業種の専門能力を持った人材を欲しています。右肩下がりの出版業界を例にお話ししましょう。

今、出版社の広告部署にいる人に求められる能力は、夜な夜な広告主や広告代理店の人をとことん接待できる、「ガハハ」系の人ではありません。雑誌の広告売上が減っている中、重要なのが雑誌のウェブ版です。そこで広告費をいかに得るかがカギとなる。そのために必要なのは、相性のいいネット専業広告代理店を探し出し、契約する力だったり、ウェブ版のデザインを、広告のクリック数が上がるように最適化していく技術、センスだったりします。

そういう人材を、自社で育てるのは難しい。専門知識のあるＩＴ関係の人に越境してきてもらい、高給・好条件で業務を任せる方が絶対に得策で、実際にそうしている企業も多い。

これは、なんらかの専門性のある人からすると、自分が貢献できそうな業界を見つけることができれば、より働きやすい条件・環境で働ける状況が整いつつあるということではないでしょうか。

今回のコロナ騒動は、これからの働き方を考えるいい機会です。「なんでマスクが売ってないんだ！」なんて罵倒を受けたドラッグストアの店員は、今後は企業の「お客様窓口」や広報のアドバイザーになれるかもしれません。「人間なんてドス黒いので突き放せばいいだけです」などと、実体験をベースとしてキチンとアドバイスできることでしょう。

この窮地で経験したことを、将来のカネ儲けに繫げてくださいね。(2020/4/16)

それでもやはり「イヤだったら逃げろ」

プレジデントオンラインに「〝小中学校の友人〟なんてクソみたいなもの」というコラムを書いたところ、すさまじく多くの人に読まれました。多数の共感を頂いたこの内容、基本的には「学校で友人関係がうまくいっていない子供とその親」に向けたものです。

長い人生を考えると、小中学校(特に公立)の友人なんてまったく大事ではない。小中学校の狭い世界がすべてだと思うな。イヤだったら逃げろ、自殺なんてするなというメッセージが主眼でした。

この文章に対して寄せられたコメントの2～3割ほどが批判だったのですが、その典型は次のようなものでした。

(1) オレは小中学校の友人と今でも仲がいい

(2) この著者はよっぽど惨めな小中学校生活を送ったのだな。友達がいなかった惨め

なヤツのはずだ
（3）社会人の人間関係なんて打算的なものだらけ、子供時代の関係の方が尊い

（1）については、私は「友達百人できるかな」的呪縛から子供を解放すべきで、「子供は純粋な天使」的思い込みを大人が捨てよ、と主張してきましたから、論外です。（2）も別にそう推測するのは構わないのですが、私はあくまでも「いじめられている子にとっては周囲の子供達はクソである」と言っているわけで、私のことを持ち出す必要はない。

問題は（3）。これは完全に「価値観戦争」のようになってしまっています。恐らく、一生同じ地域に住む人の場合は、こんな考え方を持たないとやっていけないのでしょう。だからこそ、彼らからすると私の「小中学校の友人なんてクソみたい」という発言は辛かったのかもしれません。

ここに明確な「分断」を感じたのです。結局私は都会に住む人間で、公立の小中学校に通ったものの、高校以降は地元から離れ、現在の人間関係は基本的には仕事がらみの人だらけ。地元のしがらみは一切ないし、付き合う人間も自らの意思で選び放題、とい

った状況にあります。「土地」に人間関係が一切縛られていないのですね。

こうなると実は海外からやってきたITの技術者みたいな人の方が、日本の地元重視派よりも気が合ったりする。トランプ大統領をめぐり、アメリカでは「分断」がしきりと言われましたが日本でも案外「分断」ってのはあるのです。

2017年の衆議院議員選挙の最中、新潟の選挙区で金子恵美候補が地元の祭りにハッピを着て参加する様子や、一般の参加者から「ケンスケ！ ケンスケ！」と「ゲス不倫」で名高い夫・宮崎謙介氏の名前を囃し立てられる様子を見ました。

こんな光景が今でもあるのか！ と驚きましたが、恐らく私が小中学校時代を過ごしたエリアでも同じような光景があるのでしょう。

ある日、時々行く魚屋の若主人が店にいなかった。年に一度のお祭りの準備で帰省しているということです。

ここにも地元の「絆」的なものがあるわけで、それを持たぬ自分はいつかは寂しくなるのかな、とも感じました。そして、（1）から（3）までを大声で言えるような人生こそ幸せなのかも、と少しだけ思ったのでした。

しかし、「イヤだったら逃げろ」という私の主張は変わりません。（2017/11/9）

超マイナーな分野で目立つこと

芸能人や専門家として仕事を獲得するには、超マイナーな分野で目立つのが大事なのだなと、松崎しげるを見ていると実感します。漫画『ベルセルク』の40巻記念で公開された実写版ＰＶで「その男、黒い剣士。」として松崎が登場します。「ガッツ」という黒い鎧を身にまとうキャラを松崎が演じたのですね。

『ベルセルク』の公式ツイッターでは「〝黒い剣士〟ガッツと、〝黒い歌手〟松崎しげるさんが〝黒い〟つながりコラボ」と説明しているように、松崎はとにかく「黒い」企画があればまずは名前が挙がる存在です。彼に続くのが洋食の老舗「たいめいけん」の３代目、茂出木浩司氏でしょう。

こうなったら、『機動戦士ガンダム』の実写版映画を作る場合、モビルスーツ「ドム」を操る「黒い三連星」の三人として松崎、茂出木氏、そして清原和博氏か石破茂氏にも出てもらいたいものです。石破氏は２０１３年7月の参議院選挙で街頭演説に立ち過ぎたせいかまっ黒になり、「焦げたアンパンマン」と評判でした。

「超マイナーな分野で目立つ」は、よく考えたら私も、スケールは小さいもののそのポジションでした。一つは「広告業界出身で広告業界の暗部を口汚く指摘できる」でしょう。広告関係者というものは基本的にはポジティブの塊で、クライアント様の商品はサイコーです！　その魅力を生活者に最大限伝えるクリエイティブ（広告）を私が作ります。私の作る広告は生活者へのラブレターです！　みたいなキラキラしたことを言うものです。

しかし、メディアと人々が知りたいのは炎上した広告の問題点や、業界のブラック労働の実態等です。となれば取材依頼やコメント依頼を受けた業界人は「悪口を言ったらもう新規のクライアントを獲得できないかも……」なんて思いそのオファーを拒否する。「誰か悪口を言いまくるヤツいねぇかな」と思った時に「あぁ、中川でいいか」となり、私の元にその手の仕事が舞い込んでくるわけです。

2018年9月にはNHKの『クローズアップ現代＋』で「アドフラウド（ネット上の広告詐欺）」をテーマにしましたが、この時は「広告主と広告代理店の仕事のやり方が分かっていて、ネット広告を配信するニュースサイトの人」という、これまた超マイナー分野の人間だからこそ生中継に出させてもらいました。その時、肩書には「ネットニュース編集者・元博報堂社員」というよく分からないものが書かれていましたが、これが視聴者を納得させるには必要だったのです。

かつての「一発屋」はこれがうまくできています。「ゲッツ！」でブレイクしたダンディ坂野は、その後もＣＭに出続けています。何かを獲得することを意味する「ゲッツ」なんてキャンペーンにピッタリだし、マクドナルドの「チキンマックナゲット」を「ナゲッツ」と複数形にすれば「ゲッツ」を活用でき、ＣＭキャラに就任。狩野英孝にしても、「ラーメン・つけ麺・僕イケメン」という持ちネタがあるから、カップラーメンのＣＭや、メンズメイクのＣＭに出られたりします。

カズレーザーの「赤い服」とか「金髪」なんかもあれ、相当に練られた「超マイナーな分野で目立つ」戦略なんでしょうね。頭いいなあ。（2018/10/25）

シンプルで合理的な働き方のルール

新型コロナウイルス騒動が拡大する中、オーディオブックなどを提供する株式会社オトバンクの久保田裕也社長が英断を下しました。それは2週間の出社禁止です。業務はリモートワークで行い、客先との対面打ち合わせもナシとするそうです。オンラインでのやり取りは通常通り。その後、リモートワークの無期限継続も宣言しました。社員からすれば、社外の人には「すいません、ウチ、そういう制度になっておりまして……」と言えばいいだけなので、相手としても「さすがに来させるのは内政干渉だよな」となることでしょう。

今後どうなるか分からない状況なだけに、後手後手になる前に「家からあまり出るな」という対策を取ったのは、中国の遅すぎた対策や、緊迫感があまり見られない日本政府の対応と比べて有効に思えます。従業員が感染するリスクを避けることこそ最優先すべきだという判断には、「その通り！」と首肯するしかありません。

同社には「満員電車禁止令」というルールも存在しますが、これもいい。満員電車の時間帯にドア近くに乗ると、駅に到着するたびに外へ出てあげ、中に戻る時は猛烈な圧で押される。電車が走っている間もおしくらまんじゅう状態で、痴漢および痴漢冤罪リスクがあるし、耐え難い口臭の人の口もとに鼻が来てしまうかもしれない。夏なんて汗びっしょりになるし、会社に着く前に疲労困憊です。

満員電車は生産性を低める重大要因だから、そんなもんは禁止！　と社長の鶴の一声で言ってしまえば社員も逆らえるわけがない。久保田社長は合理主義者なのでしょう。

ビジネスの世界に残り続けている〝常識〟が非合理的だと思ったらサッサとやめてしまう。そしてそれを制度化し、対外的にアピールをする。そうすると、その考えに合った人が求人に応募してきますし、同様に合理主義者だらけの集団を作ることができます。

　合理主義的な会社のルールは色々あり、私が好きなのは某社が「社内恋愛推奨」を謳っていることです。その会社で働く人に聞いたら実にシンプルな回答が返ってきました。

「ウチみたいな長時間労働の会社では、家族が理解者でなくてはいけないんですよ。家に帰ってくるのが遅い夫に、実態を知らない妻は『そんなに忙しいわけがない！』とストレスを溜めます。でも、勤務実態を知る人が配偶者だったら、『そういうものよね』と理解してくれます。だから社長は社内恋愛を推奨しているのでは」

　こうして考えてみると、会社ってもっと合理化できる。たとえばこんなルールを徹底すると社員の満

足度は高まるはずです。もちろん、販売員や工場のラインで実際に手を動かす人は別で、デスクワークがメインの人や営業担当を想定しています。

「喘息やアレルギー以外で咳が出る人は出社しない」
「台風や大雪でＮＨＫが『不要不急の外出は控えてください』と言ったら出社禁止」
「公共交通機関がマヒした場合はその日の出勤・打ち合わせなし」
「一斉の昼休みは廃止」
「定時も廃止」
「子供が生まれたら１ヶ月の強制育休」

私は人事の専門家でもなんでもありませんが、現在、会社経営をしている中で、右記はすべて達成できていますから、現実的な案だと思います。(2020/2/13)

「中休み」を楽しむ居酒屋リモートのすゝめ

「カフェでノートパソコン開いてお仕事ランラン！」というのはもうすっかり街の定番風景となりました。「Free Wi-Fi」の文字があったり、ドトールでは電源付きのカウンターがあったりもして、「どうぞお仕事なさってください」という空気が漂っているのです。

しかし、いまいち定着していないのが「居酒屋オフィス」です。ここでは居酒屋で仕事をするのがいかにいいか、についてお伝えしたい。

「仕事中に酒を飲むなんて不謹慎ではないか」という学級委員長オッサンの指摘については「ちゃんと成果を出せばいいのである」とまずは言っておきましょう。そもそも「カフェで仕事」にしても、かつては「お前、忙しぶってるんだろ」「お前、他人にデータを見られるリスクを考えないのか」と批判されていたものです。

その後、「コーヒー1杯で6時間も粘るヤツがいて迷惑」的な論が出てきます。しかし次第に、「遊牧民」を意味する「ノマド」という言葉が一世を風靡し、仕事をするのに最適なカフェのことを「ノマドカフェ」と呼ぶようになりました。今では、ネットを見ると「○○駅の近くでノマドワークに最適なカフェ5選」みたいな記事すらあります。

いつしか「カフェで仕事」というスタイルは一般的になりました。週3で居酒屋に行く私はそのうち2回は仕事をしていますが、まだこの「居酒屋で仕事」の同類に会ったことがない。これが実に寂しいのです。さすがに、居酒屋のカウンターがPCで占拠され、テーブルにも座敷にもPCを開けるスーツの男たちがズラリ、というのは不気味ですが、2人か3人ぐらいいてもいいのでは。

まず、居酒屋のいい点は、仕事の合間にクイッとサッポロビールを飲み、野菜スティックなんかを味噌とかマヨネーズをつけポリポリ。「プレゼンの資料、あと10%のところまで来たぞ。ふぅ〜、ここらでビールとポテトフライでも追加するか。すいませーん、大瓶1、ポテトフライ！」なんてやるわけですよ。

そして、すでにほぼ空けている大瓶の残りをドボドボとあの居酒屋仕様の小さなビールグラスに入れ、キュッと飲むと水滴したたる冷たい大瓶がやってきて「おぉ、ういやつ、ういやつ」なんてその大瓶を愛で、再びパソコンのキーボードを叩き、仕事に戻るのです。

このように、仕事をガッとやり、少し行き詰まったところでクイッとビールを飲み、小腹が減ったところでつまみを頼む。

周囲からのガハハハといった声を聞くと「チクショー！　オレもさっさとそちら側に行きたいぜ！」という急かされた気持ちになり、仕事のピッチが速くなる。それで、パチパチパチパチ（キーボードを叩く音）、パーン（勢いよくＥｎｔｅｒキーを叩く音）となり、最後にメールの「送信」ボタンを押して無事仕事完遂。というところで、戦士はすぐさま「自分で自分をホメてあげたい」とばかり、さらにおいしく感じられるビールを一気に飲むのです。

かくして「居酒屋オフィス」は「仕事」「中休み」「加速」「安堵」の気持ちを味わえ、より仕事が進む。でも、オシャレなＭａｃ派は居酒屋で仕事するのイヤがるんだろうな……。まずはＷｉｎ派の皆様から、この風習を作っていこうではありませんか！

(2017/10/19)

年間を通じて着る服「６パターン」

今年の流行りの色は紫？　涼しげコーデでモテモテナイスミドルの人生を謳歌しよう？　そんな話では全然ありません。アパレル業界の方からすれば「なんだこの野郎！」と言いたくなるでしょうが、私が年間を通じて着る服の組み合わせは６種類しかないのです。

この組み合わせの根拠になるのが、現在居住している東京の「気温」。何しろ、寒かったりポカポカしたり、まるで定まらない3月と10月の気温に悩んでいるということです。これがその6種類です。

【暑い時（6月〜9月）】Tシャツ＋短パン
【少し暑い時（5月、10月）】Tシャツ＋長袖白シャツ＋短パン
【涼しい時（3月、4月、10月）】長袖白シャツ＋薄手の黒ジャケット＋黒ジーンズ
【少し寒い時（3月、11月）】長袖白シャツ＋コーデュロイの厚手の黒ジャケット＋黒ジーンズ
【寒い時（12月〜3月）】長袖白シャツ＋薄手の黒ジャケット＋ロングコート＋黒ジーンズ
【かなり寒い時（適宜）】長袖白シャツ＋コーデュロイの厚手の黒ジャケット＋ロングコート＋黒ジーンズ

こんな感じですから、私がインタビューなどに登場する時は、ある時期を見ると常に

同じ格好をしています。

「今日は何を着ていいか悩む！」とか「ＴＰＯに合わせた格好をしたいものだ」みたいな話は時々聞きますが、洋服でいちいち悩むのは無駄なことだと考えています。何しろＺＯＺＯの前澤友作社長（当時）がツイッターでいみじくも述べていたように、洋服など原価が２〜３割で、後は会社の格を示す「ブランド代」などに使われているわけです。

Ｔシャツ長者やら世界的デザイナーが巨額の富を得たりする背後には、「ファッションに悩む人々」の不安を賢く利用した面があるのでしょう。だったらもうファッション如きで悩むのはアホだ、とばかりに、私は18年ほど前から前述６バージョンで生きることを決めています。

Ｔシャツなど、30年前、高校生の時に買ったものもありますし、ジャケットは10年ぐらい着ている。黒ジーンズは３年に１回取り換える、タイで買った

３００円のものです。コートは20年ぐらい持つであろう値の張るものを買いました。

先日嬉しかったのが、飲みの席の写真をＳＮＳに公開したところ「中川さんのＹシャツ、相当高いものと思われる」と書かれたことです。いやいや、ユニクロにしては高級な２９００円ぐらいの形態安定シャツです。昨今のファストファッションは高く見える。朝、家を出る時に服装に悩んで余計な時間を使うのであれば、天気予報を見てその日の最高気温と最低気温から決めるのが手っ取り早い。別にどんな服を着ていようが、他人は気にしていません。洋服に悩むぐらいであれば、いっそのことこう割り切ってはいかがでしょうか。洋服代を年間１万円ぐらいにし、新規購入は破れた時のみ！

服に悩む時間とかけるカネを減らせば人生は相当ラクになりますよ。ただし、「ファッションにこだわるのは楽しいからだ」と言う方はガンガン、おカネ使ってください。

(2019/3/28)

私が60歳手前で死んだとしても

２０１８年から若い知人が次々と亡くなり、「死」について色々と考え始めました。

何しろ彼らとはそこそこ関係が深く、衝撃が大きかったのです。

まず、ニュースサイト「ＮＥＷＳポストセブン」を立ち上げ、仕事をくれた小学館のK氏が18年2月に心筋梗塞により57歳で亡くなりました。6月には、前述したブロガーのＨａｇｅｘ氏が刺殺されました。41歳です。9月には、私が大学時代から仲良くしていた大学職員が突然57歳で亡くなりました。パーキンソン病を患い早期退職、一人暮らしをするなか彼はおでこと目の下に濃いアザがある遺体で発見されたのです。体重が１３０キロもあった彼の腹は見事なので、私のツイッターのアイコンにこの10年使わせてもらっていました。

ネットの生中継で何度も共演し、ホストを務める番組にも呼んでくれたコラムニストの勝谷誠彦さんも重症型アルコール性肝炎により57歳で亡くなりました。ネット上の知り合いで、一度私のイベントに来てくれた40歳の男性も交通事故で亡くなりました。

５人のうち、３人は偶然にも57歳でした。「死の適齢期」という言い方は不謹慎ですが、葬儀や「送る会」、知人による死の報告はいずれも悲愴感がありました。ただ、勝谷さんの場合は、「なんであんなに酒飲んだんだろうね……。まぁ、好き放題やった人生だったからしょうがねー」的な笑いも起きていました。孤独死した大学職員も、遺体安置所では同僚から「風俗に大金を使ったっていつも自慢してたね」と笑いも出ました。

結局、その死をひたすら悲痛なものと捉えるか、笑いも生まれるかは、故人のパーソナリティ次第なのでしょう。元プロボクサーでコメディアンだったたこ八郎さんは1985年、飲酒の上で海水浴をし、心臓麻痺で44歳の若さで亡くなりました。この時は「たこ、海で溺死」「たこ、海に帰る」といった見出しで報じられます。破天荒だった彼の死は、あの若さでも「たこちゃんはナ……」的な扱いで仲間からも苦笑をもって捉えられましたし、当時小学生だった我々も「タコなのに泳げなかったんだ（笑）」みたいな扱いをクラスでしていました。

人の死は悲しいですし、「なんであの人が」と悲痛な思いを持たれる人もいます。いわゆる「大往生」と評される死に方であれば、葬儀でも笑って過ごす人が増えますが、60歳以下の人の葬儀は「早すぎる」という思いで埋め尽くされています。

しかしながら、たこ八郎さんも含め、若くして亡くなったのに笑顔で送られる人もいる。もちろん、ご家族や大親友は本当に悲しいでしょう。それは自然なこととして、もし自分が60歳にならずに死んでも、友人や仕事仲間には笑っていて欲しい。そのためにはどんな人生を送るべきか。

そう考えると、今まで通り酒を飲み、バカな文章を書き続ければいいのかな、と5人が立て続けに亡くなったことで、新たなる人生の指標を得ることができたのです。
(2019/3/14)

ボケ防止に「中国統一」の野望

２０１８年2月、突如として「なぜ日本人は呂布みたいな小物が好きなのか」という中国メディアによる分析記事が話題になりました。呂布といえば『三国志』最強の武将として知られるものの、裏切りに裏切りを重ねた卑怯者のイメージもあるため中国では不人気なのだそうです。その一方、日本では呂布はけっこう人気があります。

記事によると日本人が好きな偉人は「努力で成り上がった人物」「悲劇的に若くして死んだ者」だそうです。呂布は確かにそういう人物ではありますが、この2つはさほど関係なく、吉川英治氏と北方謙三氏の小説と横山光輝氏の漫画、そして本宮ひろ志氏の漫画『天地を喰らう』で呂布の強さが際立っていたからというのが本当の理由なのでは、と思います。

さらにその後、光栄（現コーエーテクモゲームス）がゲームの『三國志』『三國無双』シリーズで呂布を圧倒的強者にしたことも影響しているでしょう。これらの作品に若いうちに触れ、一生の趣味とするのは老化防止の観点から良いのではないでしょうか。

というのも、登場人物がやたらと多く、「張」がつく名前だけでも張遼、張飛、張郃、張虎、張翼、張紘、張昭、張休なんかがいて、彼らの親子関係なんかも把握しなくてはならない。さらには兀突骨とか俄何焼戈みたいなヘンなヤツもウジャウジャ登場します。

そんな複雑な小説や漫画を読むだけでなく、実際に彼らを使うことによってより鍛えられるのが前出のゲーム『三國志』です。これが本当に「脳トレ」になるのです。

私の場合元々ファミコンやPCで『三國志』シリーズはやっていたのですが、この5年ほど、ニンテンドー3DSの『三國志』をプレイしています。ベースは光栄の『三國志V』（1995年）で、これが滅法楽しい。電車に乗る時、打ち合わせ前の空き時間、便所の用足しの時にいつもやっているのですが、目標は中国統一。

登場武将数約800名、各武将が習得できる陣形の数は16、各武将が6つずつ習得できる特殊能力の数は47個。武力・知力・政治力・魅力という4つの100段階パラメーターがあり、これらを駆使して内政を行い、他国を侵略します。

47ある戦場すべての地形的特徴も覚えたうえで全国統一を目指すのですが、いやはや、とにかく覚えなくてはいけないことが多過ぎる。「李典の武力は78で『方円』の陣形で守りを固め、『火矢』の特殊能力で後方から相手部隊を丸焼けにしてやれ」みたいなことを考えながら遠征軍のメンバーを決め、勝利を目指します。

昨今は「健康寿命」も重要なテーマになってきました。体の不調は放っておけば死ねるのでいいのですが、認知症になるのは恐ろしい。そのためには常に頭を使っておくことが予防になると言われます。日々頭を使いまくり、強制的に記憶しなくてはならないことを増やし、ボケ防止をしたいものです。

若い時に「これは必死で覚えたなぁ……」というベースがあるものに関連したゲームや漫画、これいかがでしょうか。(2018/3/22)

おわりに

こうして恥ずかしい人たちを見続けてきましたが、こんな本を書いてしまった自分が一番恥ずかしい。何しろ、「自分だけはまともに生きていると思い込んでいるんだろうｗｗｗｗ」なんて言われてしまうからです。

そんなわけがない。だからこそ、自分自身の恥ずかしい部分も散々さらけ出してきたのです。

思えば、恥ずかしくない人たちというのは人生けっこうつらいのではないでしょうか。ブログやインスタグラムで「アーバンでオシャレなセレブライフ」「彼氏とラブラブ」「3人の子供がかわいいです。じぃじとばぁばも喜んでいます」的なアピールを日々している人や、自身の才能から生まれたファッションや雑貨ブランドがいかに好調かをアピールする人というのは、失敗が許されないのです。

常に「幸せ夫婦」「才能の塊」「仲良し一家」的イメージを世に発信し続けなくては、その虚像が崩れてしまう。だから、私が本書で伝えたかったのは「恥ずかしい人生で上等」という開き直りです。

散々恥ずかしい人々を嘆くような文章を書いてきた末の結論がそれかよおい、ふざけんな、エッ！　バーンバーン（コーフンのあまり机を叩く音）と言いたくなるかもしれませんが、恥のある人生こそ私達の真の姿ではないでしょうか。

自分には恥がない、と思える人こそどこかおかしい。アイドルはうんこをしない、といった論がかつては存在しましたし、元モーニング娘。の石川梨華がうんこをするかしないかの論争が何年にもわたり匿名掲示板・2ちゃんねる（現・5ちゃんねる）で展開されていました。

さて、図らずも本書の発売は私のセミリタイアの10日ほど前というタイミングでした。1997年4月に新入社員として博報堂に入ったところ、4年で「オレはこの会社で出世できねぇ〜」とばかりに突発的に退社。実に恥ずかしい。

その後は、なんだかよくわからないけどカネが必要なのでフリーライターになり、さらにはネットニュースの編集を年間364日やり続ける生活を約15年続け、数々の謝罪をしたり炎上騒動を起こしたりしてきました。実に恥だらけの人生です。

ネットニュース初期の頃は名誉毀損の裁判も起こされました。それから慎重な編集を心掛け、裁判沙汰はその後1件もありません。他者への配慮ができるようになったのかもしれません。

それ以上に、「これ以上恥をかきたくない」という気持ちが勝ったのかもしれませんね。自分の編集次第でサイト運営責任者にも迷惑をかけてしまうし、記事に登場した当事者も傷つけてしまう。散々実名を挙げて悪口を言い続けてきた自分としてはこの述懐は完全に破綻しているのは分かります。

でも、発してきた悪口を振り返ると分かるのが、一応、本当に憎んでいる人のことは書いていない点です。そこを書くと裁判沙汰になるし、憎悪が憎悪を生む展開になってしまいます。本書で登場した人に対しては若干の愛情をもって書いたつもりです。書いていない対象の人に対してはドス黒い憎悪と怨嗟があります。だから、自分にとってどうでもいい人間かつ敵意を持っているような人間については取り上げないに越したことはない。人間は付き合う相手を自由に選ぶことができるのです。

文章ってものは誰かを本気で精神的に落ち込ませるほどの破壊力があります。一方で文章は誰かを幸せにもします。「好きか嫌いか」ということだけで、その人を記述する文章は変わってきます。だから、「恥ずかしい人たち」というテーマにし、「殺したいほど憎たらしい人たち」という文章は書かないことにしました。

確かに私にはそういった「殺したい」人は20人ぐらいはいます。いや、「殺したい」ではないな。「今日何らかの事情で死んで欲しいほど憎たらしい人たち」だな。彼らと分かり合えることは絶対にないのです。

「恥ずかしい人たち」とはもしかしたら若干の歩み寄りの可能性はあるわけですし、いつの日か『ドラえもん』に登場するジャイアンのように「おお、心の友よ！」となるかもしれません。47歳にしてセミリタイアをする私のような厭世的な人間であっても、その程度の期待は人間に対して持っています。

さて、本当に本書の最後になりますが、このあとがきを書いている7月2日、とある方からお菓子が届きました。添えられたお手紙には思わず目頭が熱くなりました。そこに書かれていることは、箇条書きにすると次のようなものでした。

・中川さんのセミリタイアが迫って寂しいです

・これまで何度もイベント等で笑わせていただきありがとうございました
・私はこれから療養生活に入り東京から離れますが、中川さんの本も持っていきます
・お元気でいてください

彼女と初めてお会いしたのは私が出演したトークショーです。彼女は長らく鬱病を患っており、自殺も考えたような方なのですが、私のバカ話を楽しんでくれたようです。彼女が参加してくれた何回目かの会では名刺交換をしました。その時に鬱病のことも聞きました。なんとか楽しく生きてくださいね、と伝えました。

それから数年後の2019年秋、見知らぬ番号から電話が。彼女です。

「あの時のイベントで転職をどうすればできるかを尋ねた者で、その後名刺交換をさせていただきました」と言ったうえで、「本当に精神的にきついです。とにかく中川さんに話を聞いて欲しかった」と言いました。その時私は「週1勤務」を古巣・博報堂で始めていたところで、「今から博報堂のビルの地下のうどん屋に来られますか？　話をしましょう」と言いました。

彼女が自殺をしてしまったら本当にヤバいから、このSOSには応えなくてはいけな

いと思ったのです。そして、2人でビールを飲みながら彼女の思いを聞き続けました。自殺も考えたといっています。そして、いかにして彼女に生きる希望を見いだしてもらうか、ということを考えます。彼女はとあるスポーツを過去にやっていたと聞き、その第一人者が登場する過去の雑誌と、自分にとっての名著数冊を渡すために来週もう一回このビルに来てもらえますか？　と伝えました。

1週間後に会う約束をすれば、彼女は1週間それを楽しみに生きてくれるかもしれない。そして本と雑誌を渡せば彼女はしばらく楽しんでくれるかもしれない。

そして彼女は翌週、時間通りに来てくれ、私はこれらを袋に入れて渡し「楽しんでくださいね」と言いました。

この時渡した本と雑誌には多数の「言葉」が描かれています。様々な人物のインタビューも載っていますし、それこそ自身の恥ずかしい話も満載です。結局良書に登場する人物や、魅力的な人というのは「恥ずかしいことを自ら言える」人々なんだな、と思いました。彼女からお礼のメールがすぐ届き、楽しみたい、と書かれていました。

あれから約10ヶ月経った今、療養のため東京を離れることになったとのこと。それは彼女がこれからも生きることを決意したということで、私は嬉しく思います。

そして私は本書『恥ずかしい人たち』を彼女に送ることを約束しました。

恐らく精神的な病により療養する方々は恥をかくことを恐れていた場合も多いのでは、と思います。それは私が過去に鬱病だった婚約者を自殺で失っているから分かること。「恥ずかしい人」と自覚していることは本質的には「恥ずかしくない人」であり「立派な人」にもなり得るのかな、という禅問答的なことを今回本書をまとめるにあたって感じました。

さて、こうして47歳でのセミリタイアが迫った今、編集のKさんからは「中川さん、最後の感謝をしてくださいよ」と言われました。

私はこれまで「本に『あとがき』は書きたくない」というスタンスを取り続けてきました。理由は、著者が自己満足のごとく読者からすれば「誰それ?」みたいな人の名を次々と挙げ、「そして最後に私を常にサポートしてくれた妻・アケミに心からの感謝をします。愛してるよ。軽井沢の別荘にて」なんて締める。

自分がそんな「あとがき」を書くのは恥ずかしいので一切の拒否をしてきたのですが、今回ばかりは違う。感謝するKさんから「感謝しろオラ」と言われたから感謝します。

恥ずかしいので実名を挙げたりはしませんが、なんとか24年間社会人として仕事をさせていただいたすべての人に感謝します。それは本書を読んでくださった読者の皆様に対しても、です。

周囲の本当に大切な人を徹底的に大事にしてください。そしてその人達が恥ずかしい行為をした場合でもなんとか取り繕ってあげ、自分が恥ずかしいことをした場合もその人達に泣きついて慰めてもらいましょう。

結局、人間にとって一番大事なのは「愛」なんですよね。

２０２０年7月2日

中川淳一郎

中川淳一郎　1973(昭和48)年東京都生まれ。ネットニュース編集者。博報堂勤務を経て2001年に退社、独立。著書に『ウェブはバカと暇人のもの』『夢、死ね！』『バカざんまい』等がある。

Ⓢ新潮新書

871

恥(は)ずかしい人(ひと)たち

著者　中川淳一郎(なかがわじゅんいちろう)

2020年8月20日　発行

発行者　佐藤隆信
発行所　株式会社新潮社
〒162-8711　東京都新宿区矢来町71番地
編集部(03)3266-5430　読者係(03)3266-5111
https://www.shinchosha.co.jp

印刷所　錦明印刷株式会社
製本所　錦明印刷株式会社

ISBN978-4-10-610871-6　C0236

価格はカバーに表示してあります。